PLUSPUNKT DEUTSCH

Leben in Deutschland

ARBEITSBUCH GESAMTBAND

A1

Jin | Schote

Cornelsen

Symbole

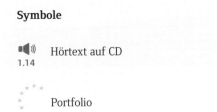

🔊 Hörtext auf CD
1.14

Portfolio

Pluspunkt Deutsch A1
Leben in Deutschland

Arbeitsbuch, Gesamtband

Im Auftrag des Verlags erarbeitet von Friederike Jin und Joachim Schote

Redaktion:	Dieter Maenner und Laura Nielsen
	Gertrud Deutz (Redaktionsleitung)
Redaktionelle Mitarbeit:	Friederike Jin und Vanessa Wirth
Bildredaktion:	Katharina Hoppe-Brill, Claudia Groß, Laura Nielsen
Illustrationen:	Christoph Grundmann

Umschlaggestaltung, Layout und technische Umsetzung: finedesign Büro für Gestaltung, Berlin

www.cornelsen.de

Die Webseiten Dritter, deren Internetadressen in diesem Lehrwerk angegeben sind,
wurden vor Drucklegung sorgfältig geprüft. Der Verlag übernimmt keine Gewähr für
die Aktualität und den Inhalt dieser Seiten oder solcher, die mit ihnen verlinkt sind.

Soweit in diesem Buch Personen fotografisch abgebildet sind und ihnen von der Redaktion
Namen, Berufe, Dialoge und Ähnliches zugeordnet oder diese Personen in bestimmten Situationen
dargestellt werden, sind diese Zuordnungen und Darstellungen fiktiv und dienen ausschließlich
der Veranschaulichung und dem besseren Verständnis des Buchinhalts.

1. Auflage, 6. Druck 2017

Alle Drucke dieser Auflage sind inhaltlich unverändert
und können im Unterricht nebeneinander verwendet werden.

Druck: Firmengruppe APPL, aprinta Druck, Wemding

ISBN: 978-3-06-120555-3

PEFC zertifiziert
Dieses Produkt stammt aus nachhaltig
bewirtschafteten Wäldern und kontrollierten
Quellen.

PEFC
PEFC/04-32-0928   www.pefc.de

Inhalt

1 Willkommen!

1 Wie heißen Sie? Ordnen Sie den Dialog und kontrollieren Sie dann mit der CD.

☐ Ich heiße José Aguilar. Woher kommen Sie?

☐ Ich komme aus Madagaskar. Und Sie?

☐ Ich komme aus Peru.

1 Guten Tag, ich heiße Murielle Ramanantsoa. Wie heißen Sie?

2 Ergänzen Sie den Dialog. Hören und kontrollieren Sie dann mit der CD.

● Guten Tag. Ich .... José Garcias. .... heißen Sie?

● Ich .... Magdalena Ziowska.

● .... kommen Sie?

● Ich komme .... Polen.

3 Wie heißen Sie? Woher kommen Sie? Ergänzen Sie die Sätze.

Ich heiße .... Ich komme aus ....

A Guten Tag

4 Ordnen Sie den Dialog und kontrollieren Sie dann mit der CD.

☐ Ich heiße Gomes. Anna Gomes. Und Sie?
☐ Ich heiße Funda Aydin. Ich wohne schon lange hier. Woher kommen Sie?
1 Guten Morgen. Mein Name ist Anna Gomes. Ich bin neu hier.
☐ Ich komme aus Portugal. Und das ist Maria.
☐ Hallo, Maria. Willkommen!
☐ Guten Morgen. Entschuldigung, wie heißen Sie?

5 Schreiben Sie die Sätze in Ihr Heft.

WoherkommenSie? ● IchkommeausderUkraine. ● Ichwohneschonlangehier. ●

Woher kommen ...

IchbinneuhierimHaus. ● MeinNameistGeorgHauser.

6a *Wie? Woher? Wer?* Ergänzen Sie die Fragen.

.... heißen Sie?

.... ist das?

.... kommen Sie?

6b Ordnen Sie die Fragen aus 6a zu und schreiben Sie sie.

1 .... Das ist Goran Petrovic.

2 .... Ich heiße Marija Petrovic.

3 .... Ich komme aus Berlin.

7a Schreiben Sie drei Fragen.

> ~~Wie~~ • Woher • Wer • heißen • kommen • ist • Sie • Sie • das

1 *Wie* .... ?

2 .... ?

3 .... ?

7b Schreiben Sie Antworten zu den Fragen aus 7a .

B   Buchstaben

8a Das Alphabet. Ergänzen Sie die Buchstaben, hören Sie dann und sprechen Sie nach.
(1.05)

A ...... C ...... E ...... G ...... I ...... K ...... M ...... O ...... Q ...... S ...... U ...... W ...... Y ......

8b Die besonderen Buchstaben. Hören Sie und ergänzen Sie die Buchstaben.
(1.06)

1 .... 2 .... 3 .... 4 ....

9 Was hören Sie? Kreuzen Sie an.
(1.07)

VW   vhs   BMW   AOK   DVD   H&M

☐ ☐ ☐ ☐ ☐ ☐

🔊 **10** Wie heißen die Leute? Woher kommen sie? Hören und ergänzen Sie.
1.08

1

Name: Halina ....

Stadt: Lublin

Land: Polen

3

Name: Akina ....

Stadt: ....

Land: Japan

2

Name: Fernando ....

Stadt: ....

Land: Mosambik

4

Name: .... Smith

Stadt: ....

Land: Neuseeland

C Formell und informell

11a Was sagen die Personen? Schreiben Sie zwei Dialoge.

1 • ....

 • ....

 • ....

 • ....

Guten Tag, Frau Kern. • Gut. Und Ihnen? • Danke, es geht. • Guten Tag. Wie geht es Ihnen, Herr Böhm?

2 • ....

 • ....

 • ....

Danke, gut. • Hallo, Felix! Wie geht es dir? • Gut. Und dir, Hannah?

11b Lesen Sie die Dialoge noch einmal und ordnen Sie zu: formell oder informell?

	Dialog 1	Dialog 2
formell	☐	☐
informell	☐	☐

🔊 **12** Formell oder informell? Hören Sie die Dialoge und kreuzen Sie an.
1.09

	Dialog 1	Dialog 2	Dialog 3	Dialog 4
formell	☐	☐	☐	☐
informell	☐	☐	☐	☐

◀)) **13** Ergänzen Sie die Dialoge und kontrollieren Sie mit der CD.
1.10

1 ○ Guten Tag. Mein Name ist Schmitt, Anna Schmitt. Wie heißen ....?

○ Guten Tag, Frau Schmitt. Mein Name ist Hans Meyer.

○ Guten Tag, Herr Meyer. Wie geht es ....?

○ Danke, gut und ....?

2 ○ Hallo. Wie heißt ....?

○ Ich heiße Sara. Und ....?

○ Ich heiße Lukas.

3 ○ Hallo, Lukas, wie geht es ....?

○ Danke, gut. Und ....?

◀)) **14** Hören Sie. Welches Bild passt? Verbinden Sie.
1.11

A
Dialog 1

Dialog 2

Dialog 3

Dialog 4

B

◀)) **15** Ordnen Sie die Sätze zu. Kontrollieren Sie dann mit der CD und sprechen Sie nach.
1.12

Wie heißen Sie? • Auf Wiedersehen. • Wie heißt du? • Guten Tag. •
Guten Morgen. • Tschüss. • Hallo.

1   **2**   **3**

....

....

....

16 Was passt? Ergänzen Sie.

du • ihr • Sie • Sie

Wie heißt ....?

Wie heißen ....?

Woher kommen ....?

Was macht ....?

17a Verben. Markieren Sie die Endungen.

| du lernst | ich komme | wir wohnen | ihr macht | Sie heißen |
| du machst | ich heiße | wir kommen | ihr wohnt | Sie lernen |

17b Ergänzen Sie die Tabelle.

	machen	wohnen	lernen	kommen	heißen
ich	mache				
du					
wir					
ihr					
Sie					

18 Verben. Ergänzen Sie die Verben.

1 • Wie .... Sie? • Ich .... Elisabeth Mahler.

2 • Was .... ihr? • Wir .... Deutsch.

3 • Woher .... du? • Ich .... aus Brasilien.

4 • Wo .... Sie? • Ich .... in Frankfurt.

19a Das Verb *sein*. Ergänzen Sie.

ich .... du .... wir .... ihr .... Sie ....

19b Wer ist das? Ergänzen Sie das Verb *sein*.

• Wer .... du? • Wer .... Sie? • Und wer .... Sie?

• Ich .... Lin. • Wir .... Jan und Maria Kowalski. • Ich .... Erkan Öztürk.

20 Schreiben Sie die Fragen und Antworten.

1 ● woher – ihr – kommt – ? ....

  ● aus dem Iran – wir – kommen – . ...

2 ● wie – Sie – heißen – ? ....

  ● Christian Weber – heiße – ich – . ...

3 ● lernst – was – du – ? ....

  ● lerne – ich – Englisch – . ...

4 ● Sie – wohnen – wo – ? ....

  ● in Friedberg – ich – wohne – . ...

5 ● ihr – wer – seid – ? ....

  ● Laura und Susanne – wir – sind – . ...

6 ● was – ihr – macht – in Berlin – ? ....

  ● wir – Deutsch – lernen – . ...

D Zahlen bis 20

21 Schreiben Sie die Zahlen.

1 .... 2 .... 3 ....

4 .... 5 ....

22 Hören Sie die Zahlen und sprechen Sie nach.

1.13

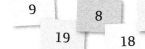

9 8 7 6 5 4 3 2 1

19 18 17 16 15 14 13 12 11

E   Was sind Sie von Beruf?

23   Berufe: Männer und Frauen. Ergänzen Sie.

	Mann	Frau			Mann	Frau
1	Lehrer			4		Friseurin
2	Ingenieur			5		Ärztin
3		Verkäuferin		6	Altenpfleger	

🔊 1.14

24   *Sie* oder *du*? Schreiben Sie die Fragen. Kontrollieren Sie dann mit der CD.

1   *Wie heißen Sie?*   *Wie heißt du?*
Mein Name ist Olga Schreiber.   Ich heiße Raul.

2   ....
Ich bin Verkäuferin.   Ich bin Ingenieur.

3   ....
Ich komme aus Russland.   Ich komme aus Portugal.

4   ....
Ich wohne in Münster.   Ich wohne in Freiburg.

25a   Herr Arslan stellt sich vor. Ergänzen Sie die Verben.

Ich .... Farid Arslan. Ich .... aus Syrien und ich .... neu

hier. Ich .... Programmierer von Beruf. Ich .... Deutsch.

25b   Und Sie? Schreiben Sie einen Text wie in 25a.

26a   Schreibtraining. Korrigieren Sie. Welche Wörter schreibt man groß (10 Wörter)?

Fehler +++ Fehler +++ Fehler

W
~~w~~ie heißen sie und woher kommen sie?

ich heiße clara bai. ich komme aus münchen.

ich wohne schon lange in deutschland.

> **!**
> Großschreibung:
> • Satzanfang
> • Vornamen, Familiennamen
>   (Julia Meier)
> • geografische Namen (Berlin,
>   Deutschland, ...)
> • formelle Anrede (Sie, Ihnen)

26b   Schreiben Sie den Text noch einmal richtig.

....

....

....

27a In der Sprachschule. Hören Sie den Dialog und kreuzen Sie an: Welches Foto passt?

1.15

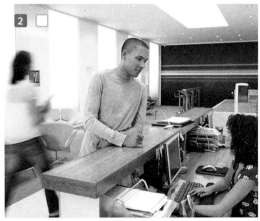

27b Hören Sie noch einmal und füllen Sie das Anmeldeformular aus.

1.15

ASK

ASK Sprachschule   www.ask-schule.de
Hansaring 3   E-Mail: post@ask.de
48155 Münster   Tel.:   0251 / 4832205

Anmeldung

Familienname	Vorname	Telefonnummer	E-Mail

Südstraße 12
Adresse   Land   Beruf

                                                   Sprachkurs
Steinfurt
PLZ   Ort

                                        A1   A2   B1

28 Wie geht's? Ordnen Sie zu und kontrollieren Sie dann mit der CD.

1.16

> Schlecht. • Gut. • Es geht. • Sehr gut. • ~~Super!~~

 1   2   3 4   5

Super! ....

Wichtige Wörter

wie ....

heißen ....

Wie heißen Sie? ....

Guten Tag. ....

und ....

woher ....

kommen ....

Woher kommen Sie? ....

Ich komme aus … ....

A Guten Tag

Guten Morgen. ....

der Name ....

Mein Name ist … ....

neu ....

das Haus ....

Ich bin neu hier im Haus. ....

Entschuldigung, … ....

wohnen ....

schon lang(e) ....

hier ....

Das ist … ....

Hallo ....

wer ....

Wer ist das? ....

B Buchstaben

Wie bitte? ....

schreiben ....

Wie schreibt man das? ....

buchstabieren ....

der Familienname ....

der Vorname ....

das Land ....

C Formell und informell

Frau … ....

Herr … ....

Wie geht es Ihnen? ....

danke ....

gut ....

auch ....

Auf Wiedersehen. ....

Bis bald! ....

Es geht so. ....

Tschüss ....

Bis morgen. ....

was ....

machen ....

Was machst du? ....

lernen ....

Deutsch ....

wo ....

D Zahlen bis 20

die Zahl ....

die Nummer ....

Meine Nummer ist … ....

ja ....

nein ....

Ja, genau. ....

nicht ....

E Was sind Sie von Beruf?

der Beruf	....
Was sind Sie von Beruf?	....
der/die Ingenieur/in	....
der/die Verkäufer/in	....

der/die Arzt/Ärztin	....
der/die Lehrer/in	....

1 Schreiben Sie Fragen und Antworten wie im Beispiel.

> Was? • Wer? • Wie? • Wo? • Woher?

Wie?
Wie heißen Sie?

Ich heiße Carlos.

Was?
Was sind Sie von Beruf?

Ich bin Verkäufer.

2 Sammeln Sie Wörter und Sätze zu den Themen *Name* und *Beruf*.

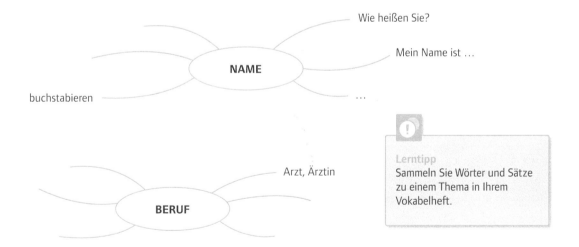

Wie heißen Sie?

Mein Name ist …

NAME

buchstabieren

…

Arzt, Ärztin

BERUF

> **Lerntipp**
> Sammeln Sie Wörter und Sätze zu einem Thema in Ihrem Vokabelheft.

3 Wörter hören und nachsprechen. Hören Sie und sprechen Sie nach.
1.17

    1 hören – schreiben – buchstabieren – lernen – machen

    2 Deutsch – Lehrer – Lehrerin – Hausaufgaben

    3 Sekretärin – Ingenieur – Ärztin – Verkäufer

5 🔊 1.20 Hören Sie den Dialog und ergänzen Sie die Informationen zu Foto 5.

6 Schreiben und sprechen Sie einen Dialog wie in Foto 5.

Familienname: ....

Vorname: *Eva* ....

Land: ....

Beruf: ....

1a Wie heißen die Kontinente? Schreiben Sie.

kaAfri .... roEupa ....

mekaNordari .... traAuslien ....

sienA .... rimeSüdkaa ....

1b Hören Sie die Kontinente und sprechen Sie nach.
1.21

2a Wo liegt …? Finden Sie die Länder auf der Karte und ergänzen Sie.

Kanada • Kenia • China • Deutschland • Brasilien

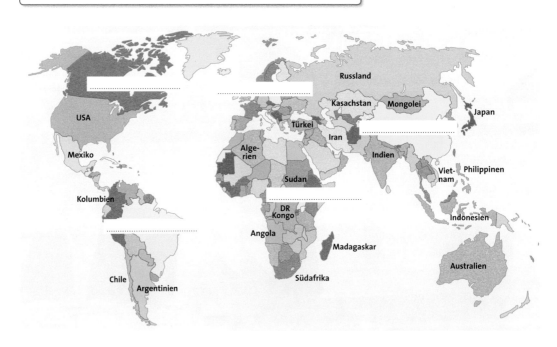

2b Schreiben Sie vier Sätze wie im Beispiel.

1 *Kanada liegt in Nordamerika.*.................................

2 ....

3 ....

4 ....

5 ....

2c Und Sie? Woher kommen Sie? Wo liegt das? Schreiben Sie.

....

....

A Nationalität und Sprachen

3a Ordnen Sie zu und schreiben Sie die Fragen.

1 Woher   A spricht Herr Bora?
2 Wo   B heißen Sie?
3 Welche Sprachen   C wohnt Frau Abiska?
4 Wie   D kommt Herr Li?

Woher ...

3b Ordnen Sie die Fragen in 3a den Antworten zu. Kontrollieren Sie mit der CD.

1.22

Frage ☐   **1** Wir heißen Smith. Martin und Mary Smith.
Frage ☐   **2** Er kommt aus Hongkong.
Frage ☐   **3** Sie wohnt in Düsseldorf.
Frage ☐   **4** Er spricht Türkisch, Deutsch und Englisch.

4 Lesen und ergänzen Sie die Verben.

1 Beatriz de Lima und Enzo Santos .... (sein) Brasilianer. Sie ....

(wohnen) in Dresden und .... (lernen) jetzt Deutsch.

2 Asif Khan .... (kommen) aus Pakistan. Er .... (sein) Arzt von

Beruf und .... (suchen) jetzt Arbeit in Deutschland. Er ....
(sprechen) schon sehr gut Deutsch.

3 Sie .... (heißen) Tanja und Oleg Makarenko. Sie .... (sprechen)

Deutsch, Englisch und Russisch. Ihre Muttersprache .... (sein) Ukrainisch.

Sie .... (arbeiten) bei Siemens in München.

5 Ergänzen Sie die Tabelle.

	kommen	suchen	heißen	arbeiten	sprechen	sein
ich	komme					
du			heißt	arbeitest	sprichst	
er/sie					spricht	
wir						
ihr						seid
sie (Pl.)		suchen				
Sie (formell)						

6 Menschen in Deutschland. Ergänzen Sie *er*, *sie* oder *sie* (Pl.).

Das ist Lisa Batiashvili. .... kommt aus Georgien.

.... wohnt in der Nähe von München.

Das ist Dimitrij Ovtcharov. .... kommt aus der Ukraine.

.... ist Deutscher und .... wohnt in Düsseldorf.

Das sind Ribery und Ushida. .... kommen aus Frankreich

und Japan. .... leben in Deutschland.

7 Und Sie? Woher kommen Sie? Was ist Ihre Nationalität? Welche Sprachen sprechen Sie? Schreiben Sie.

Ich ....

....

B   Im Deutschkurs

8 Im Deutschkurs. Finden Sie acht Wörter und schreiben Sie die Wörter mit Artikel wie im Beispiel.

~~Ta~~   ter   sche   Fla   Pa   Lam   dy   Fens

Schlüs   pe   sche   ~~fel~~   sel   Han   pier   Ta

1 *die Tafel*   2 ....   3 ....   4 ....

5 ....   6 ....   7 ....   8 ....

9a Ordnen Sie die Wörter zu und ergänzen Sie den Artikel.

Heft • Bleistift • Uhr • Tisch • Stuhl • Buch • CD • Kugelschreiber

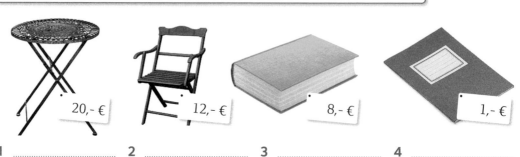

20,- €   12,- €   8,- €   1,- €

1 ....   2 ....   3 ....   4 ....

5 .... 6 .... 7 .... 8 ....

9b Was ist das? Wie viel kostet das? Schreiben Sie Sätze wie im Beispiel.

1 *Das ist ein Tisch. Der Tisch kostet 20 Euro.* ....

2 ....

3 ....

4 ....

5 ....

6 ....

7 ....

8 ....

10a Plural. Was sehen Sie auf dem Bild? Schreiben Sie wie im Beispiel.

der Bleistift , -e • die Brille, -n • das Buch, "-er • das Heft, -e • die Lampe, -n •
der Schlüssel, - • der Stuhl, "-e • das Tablet, -s • die Tasche, -n • die Uhr, -en

Das sind fünf Bleistifte, ...

....

10b Markieren Sie in 10a die Pluralendungen und schreiben Sie die Wörter in die Tabelle.

-e (+Umlaut)	-en	-n	–	-s	-er +Umlaut)
das Heft, die Hefte					

C   Zahlen, Zahlen, Zahlen

11   Schreiben Sie die Zahlen.

25   49   81

.... und .... und .... und ....

12a   Ordnen Sie die Zahlen zu und ergänzen Sie die Buchstaben.

16   ein .... achtund ....

32   .... hundert ....

64   sech ....

128   .... vierund ....

256   zweiund ....

512   zwei .... sechsund ....

1024   vierund ....

 12b   Hören Sie die Zahlen und sprechen Sie nach.
1.23

 13   Wie viel kostet …? Hören Sie und schreiben Sie die Preise.
1.24

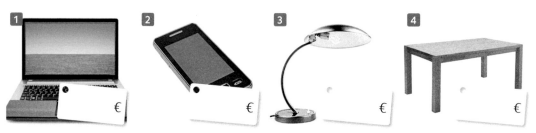

14   Wie viel ist …? Ergänzen Sie.

1 Wie viel ist siebzehn plus drei?

Siebzehn plus drei ist ....

2 Wie viel ist dreiunddreißig minus zehn?

Dreiunddreißig minus zehn ist ....

3 Wie viel ist neunhundertneunundneunzig minus neunundneunzig?

Neunhundertneunundneunzig minus neunundneunzig ist ....

4 Wie viel ist einhundertzwölf plus achtundachtzig?

Einhundertzwölf plus achtundachtzig ist ....

15 Telefon-Vorwahlen. Hören Sie die Dialoge und ergänzen Sie die Vorwahlen.

München: ....

Frankfurt: ....

Berlin: ....

Deutschland: ....

Österreich: ....

Schweiz: ....

meine Vorwahl: ....

16 Suchen Sie im Telefonbuch oder im Internet die Telefonnummern.

Polizei ....

Feuerwehr/Notruf ....

17 Hören Sie die Dialoge und korrigieren Sie die Telefonnummern.

         54
1. *0316 / ~~45~~ 67 37*

2. *64 63 08*

3. *0152 / 25 73 53 482*

4. *030 / 23 90 25*

D Wie ist Ihre Adresse?

18 Welche Antwort passt? Lesen Sie und kreuzen Sie an.

1 Wie heißen Sie?
- ☐ **A** Sie heißt Anna.
- ☐ **B** Ich heiße Anna.
- ☐ **C** Sie ist Italienerin.

2 Was ist Herr Trautmann von Beruf?
- ☐ **A** Ich bin Ingenieur.
- ☐ **B** Sie ist Ingenieur.
- ☐ **C** Er ist Ingenieur.

3 Wie ist Ihre Adresse?
- ☐ **A** Ich komme aus Köln.
- ☐ **B** Rheinstraße 5 in Köln.
- ☐ **C** 0221/452389.

4 Woher kommen Sie?
- ☐ **A** Er kommt aus Italien.
- ☐ **B** Wir kommen aus Italien.
- ☐ **C** Sie kommen aus Italien.

5 Wie alt sind Sie?
- ☐ **A** Ich bin 35.
- ☐ **B** Sie ist 35.
- ☐ **C** Du bist 35.

6 Wo wohnen Sie?
- ☐ **A** Aus der Schweiz
- ☐ **B** Aus Hamburg.
- ☐ **C** In Hamburg.

2

19a Ordnen Sie die Sätze zu und schreiben Sie einen Text.

1 Das ist
2 Er ist Programmierer
3 Er wohnt
4 Die Handynummer ist
5 Er ist

A 0171 / 451232
B 32 Jahre alt.
C von Beruf.
D Heiner Waltermann.
E in Oldenburg, Sandweg 3.

19b Schreiben Sie einen Text wie in 20a.

Das ist Frau Schmidt. Sie ist

25 Jahre alt. Sie ...

Katharina Schmidt
Altenpflegerin

Lahnstraße 17 • 35398 Gießen • Telefon: 0174 23 98 65

19c Und Sie? Schreiben Sie einen Text über sich.

Ich bin ...

20a Schreibtraining: Groß oder klein? Schreiben Sie die Wörter richtig in die Tabelle.

Fehler +++ Fehler +++ Fehler

spanisch • frankfurt • deutsch • ingenieur • der beruf •
die telefonnummer • zehn • sprechen • europa • leben • lieben •
arbeiten • kommen • martin berger • arzt • berlin

groß					klein
Namen von Personen	Namen von Ländern, Kontinenten und Städten	Sprachen	Berufe	Nomen (=Wörter mit Artikel)	andere Wörter

20b Diktat. Hören Sie die Sätze und schreiben Sie.

1.27

21a Wie arbeitet man mit einem Wörterbuch? Ordnen Sie die Wörter nach dem Alphabet.

☐ Schokolade ☐ Pizza ☐ Café ☐ Pass ☐ Oper
☐ Kasse ☐1 Apotheke ☐ Formular

21b Suchen Sie die Wörter im Wörterbuch und ergänzen Sie die Wörter.

1 .... 2 .... 3 .... 4 ....

5 .... 6 .... 7 .... 8 ....

22a Artikel und Plural. Markieren Sie im Wörterbuch den Artikel und den Plural.

Café, das, -s, -s, Kaffeehaus, Konditorei,
→ café au lait, Milchkaffee

Formular, das (-s, -e), Dokument, Schrift-
stück, Formblatt, ein Formular ausfüllen, ein
Formular unterschreiben → Anmeldeformular

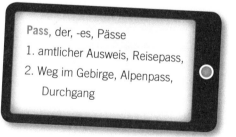

Pass, der, -es, Pässe
1. amtlicher Ausweis, Reisepass,
2. Weg im Gebirge, Alpenpass,
    Durchgang

22b Suchen Sie im Wörterbuch die Artikel und den Plural für die Wörter in 21a.

23 Abkürzungen. Ordnen Sie zu.

1 Pl.   A Euro
2 m.   B Straße
3 f.   C Telefonnummer
4 n.   D Plural
5 Tel.   E Nummer
6 Nr.   F neutral
7 €   G feminin
8 Str.   H maskulin

Aa
Bb
Cc
Dd
Ee
Ff
Gg
Hh
Ii
Jj
Kk
Ll
Mm
Nn
Oo
Pp
Qq
Rr
Ss
Tt
Uu
Vv
Ww
Xx
Yy
Zz

die Heimat ....

wo liegt …? ....

in ....

A Nationalität und Sprachen

die Nationalität, -en ....

die Sprache, -n ....

die Muttersprache, -n ....

sprechen, er spricht ....

ein bisschen ....

arbeiten ....

lernen ....

lieben ....

leben ....

suchen ....

die Arbeit ....

B Im Deutschkurs

der Stift, -e ....

der Kugelschreiber, -
der Kuli, -s ....

der Laptop, -s ....

das Tablet, -s ....

der Schlüssel, - ....

der Tisch, -e ....

der Stuhl, "-e ....

das Buch, "-er ....

das Heft, -e ....

das Handy, -s ....

das Fenster, - ....

die Lampe, -n ....

die Brille, -n ....

die CD, -s ....

die Flasche, -n ....

die Tür, -en ....

die Uhr, -en ....

die Tafel, -n ....

die Tasche, -n ....

kosten ....

der Euro, -s ....

richtig ....

kaputt ....

interessant ....

C Zahlen, Zahlen, Zahlen

die Vorwahl, -en ....

die Telefonnummer, -n ....

D Wie ist Ihre Adresse?

die Adresse, -n ....

die Straße, -n ....

die Postleitzahl, -en ....

die E-Mail-Adresse, -n ....

die Kita, -s ....

der Platz, "-e ....

frei ....

schicken ....

das Anmeldeformular, -e ....

Vielen Dank ....

auf Wiederhören ....

....

....

....

1a Verben. Ordnen Sie die Verben zu.

| 1 arbeiten | 2 lernen | 3 suchen | 4 sprechen |

A ☐  B ☐  C ☐  D ☐

1b Ergänzen Sie die Verben aus 1a und kontrollieren Sie dann mit der CD.

1.28

1 Wörter und Grammatik ....

2 ein bisschen Deutsch ....

3 bei Mercedes ....

4 Arbeit ....

1c Schreiben Sie zu den Verben einen Satz.

lernen
Ich lerne Wörter und
Grammatik.

Lerntipp
Lernen Sie neue Verben im
Satz. Schreiben Sie die Verben
und Sätze auf Lernkarten.

2 Der, das oder die? Unterstreichen Sie die Nomen blau (der), grün (das) und rot (die) und ergänzen Sie die Artikel wie im Beispiel.

die/eine Arbeit .... Adresse

.... Beruf .... Jahr

.... Land .... Platz

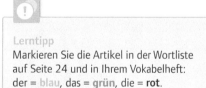

Lerntipp
Markieren Sie die Artikel in der Wortliste
auf Seite 24 und in Ihrem Vokabelheft:
der = blau, das = grün, die = rot.

3 Was passt zusammen? Es gibt mehrere Möglichkeiten. Machen Sie Ihre persönlichen Lernkarten.

| Vorwahl • Hausnummer • Tür • Nationalität • Bleistift • Anmeldeformular |

1 das Papier und der ....

2 der Schlüssel und die ....

3 die Straße und die ....

4 die Kita und das ....

5 das Land und die ....

6 die Telefonnummer und die ....

4 Wörter hören und nachsprechen. Hören Sie zu und sprechen Sie nach.

1.29

1 die Nationalität – die Muttersprache – die Adresse – die Postleitzahl
2 sprechen – lernen – arbeiten – leben – lieben – suchen
3 der Laptop – das Handy – das Tablet – die E-Mail-Adresse

1

der Bleistift, -e

2

3

4

9

10

11

12

17

18

das Portemonnaie, -s

19

der Radiergummi, -s

20
die Schere, -n

25
die Tasse, -n

26

27

28

5 Ergänzen Sie die Wörter mit Artikel und Plural.

🔊 **6** Hören Sie die neuen Wörter, lesen Sie mit und sprechen Sie nach.
1.30

6

7

8

...er CD-Player, –

14

15

16

die Jacke, -n   das Lineal, -e   der Markierstift, -e   das Notizbuch, "-er

22

23

24

30

31

32

der Zettel, –

 7
1.31
Plural. Hören Sie den Plural und sagen Sie den Singular mit Artikel.

die Zettel

der Zettel

 8a
1.32
Hören Sie Gruppen von Wörtern. Zeigen Sie die Bilder und sprechen Sie nach.

8b Üben Sie zu zweit. A sagt eine Gruppe von Wörtern, B zeigt und spricht nach.
Wer kann sich die meisten Wörter mit Artikel merken?

1 Möbel. Ergänzen Sie den Singular mit Artikel.

der Schrank die Schränke   .... die Stühle   .... die Tische

.... die Regale   .... die Sessel   .... die Sofas

.... die Bilder   .... die Teppiche   .... die Betten

.... die Vorhänge   .... die Lampen   .... die Fernseher

2a Personalpronomen. Ergänzen Sie.

der → .....*er*.....   das → ....   die → ....   die (Pl.) → ....

2b Ordnen Sie die Sätze dem Foto zu und ergänzen Sie *er, es, sie, sie* (Pl.).

1 ☒7 Da ist eine Lampe. .... ist modern.

2 ☐ Da ist ein Stuhl. .... ist unbequem.

3 ☐ Da ist ein Tisch. .... ist klein.

4 ☐ Da ist ein Sofa. .... ist schön.

5 ☐ Da ist ein Fernseher. .... ist neu.

6 ☐ Da ist ein Regal. .... ist ordentlich.

7 ☐ Da sind Bilder. .... sind klein.

8 ☐ Da ist ein Teppich. .... ist neu.

A   Wir brauchen eine Mikrowelle

3 Ergänzen Sie *ein/eine/–* oder *kein/keine*.

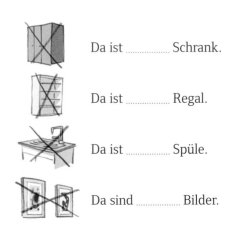

1   Da ist .... Schrank.   Da ist .... Schrank.

2   Da ist .... Regal.   Da ist .... Regal.

3   Da ist .... Spüle.   Da ist .... Spüle.

4   Da sind .... Bilder.   Da sind .... Bilder.

4 Zwei Büros. Ergänzen und schreiben Sie Sätze mit *ein/eine* und mit *kein/keine*.

Im Büro ist .... Tisch und .... Laptop.   *Im Büro ist kein* ....

Da ist .... Lampe und .... Heft.   ....

Da sind Bücher und Kugelschreiber.   ....

5a Das Verb *haben*. Ergänzen Sie die Tabelle.

	haben		haben
ich		wir	
du		ihr	
er/es/sie		sie/Sie	

5b Ergänzen Sie die Sätze.

1 Ich .... kein Telefon. Ich .... ein Handy.

2 Du .... zwei Handys. Ein Handy ist alt und ein Handy ist neu.

3 Er .... einen Bleistift, sie .... ein Heft.

4 Wir .... keinen Fernseher. Wir .... einen Laptop.

5 .... ihr ein Tablet?

6 Herr Topal und Frau Schmidt .... einen Kühlschrank.

6 Schreiben Sie fünf Sätze.

Maria	brauchen	einen/keinen	Kühlschrank
Ich		eine/keine	Spülmaschine
Du	kaufen	ein/kein	Sofa
Luciano	haben	-/keine	Blumen

1. Maria hat kein Sofa.

....

◀)) **7a**   Bei Familie Canfora. Hören Sie das Gespräch. Kreuzen Sie an: Was hat Familie Canfora?
1.33

7b   Was haben Frau und Herr Canfora nicht? Was brauchen sie? Schreiben Sie Sätze mit *ein/eine* und *kein/keine*.

Sie haben kein Regal. Sie brauchen ...

8   Lesen Sie den Dialog und ergänzen Sie die Artikel. ⚠ Manchmal gibt es keinen Artikel.

- Guten Tag, ich suche .... USB-Stick.

- Guten Tag, ... USB-Sticks finden Sie dort.

- Danke. Und haben Sie auch .... Kugelschreiber?

- Ja, ... Kugelschreiber liegen hier. Wie viele brauchen Sie?

- Ich brauche .... Kuli. Und noch .... Bleistift.

9   Welche Möbel haben Sie? Welche Möbel brauchen Sie? Schreiben Sie Sätze.

10 Farben. Finden Sie zehn Farben (→ ↓) und schreiben Sie sie. ⚠ ß=ss.

O	F	N	B	R	A	U	N
R	S	C	H	W	A	R	Z
A	B	L	A	U	G	R	R
W	E	I	S	S	R	O	T
G	E	L	B	L	Ü	S	S
G	R	A	U	P	N	A	U

1 .... 6 ....

2 .... 7 ....

3 8 ....

4 .... 9 ....

5 10

11 Nominativ oder Akkusativ? Ergänzen Sie den bestimmten Artikel.

1 .... Lehrer schreibt .... Satz. (der Satz)

2 .... Lehrer braucht .... Buch. (das Buch)

3 .... Lehrerin sagt .... Wort richtig. (das Wort)

4 .... Lehrerin hat .... CD. (die CD)

5 .... Student lernt .... Wörter. (Wörter, Pl.)

6 .... Studentin macht .... Hausaufgaben. (Hausaufgaben, Pl.)

7 .... Studenten hören .... Text. (der Text)

8 .... Studenten lesen .... Dialog. (der Dialog)

12 *Den*, *das* oder *die*? Ergänzen Sie den bestimmten Artikel im Akkusativ.

1 • Wie findest du .... Bild? • Langweilig • Hm, ich finde .... Bild interessant.

2 • Was suchst du? • Ich suche .... Handy.

3 • Ich brauche .... Wörterbuch. • Tut mir leid, ich habe .... Wörterbuch auch nicht.

4 • Ich mache .... Hausaufgaben und brauche .... Brille. • Hier, bitte. • Danke.

5 • Ich kaufe .... Lampe. • Wirklich? Findest du .... Lampe schön?

6 • Ich brauche .... Laptop. • Oh, ich brauche .... Laptop auch.

13 Wie finden Sie das? Was passt? Ordnen Sie zu.

> okay • sehr schön • hässlich • ganz schön • super • nicht schlecht •
> langweilig • toll • nicht schön • furchtbar • schön

🙂 ....

😐 ....

🙁 ....

◄)) **14a** Hören Sie den Dialog. In welcher Reihenfolge sprechen Markus und Irina über die
1.34 Möbel? Tragen Sie ein.

☐ das Bild |1| der Tisch

☐ das Sofa   ☐ die Regale

☐ der Sessel   ☐ der Schrank

◄)) **14b** Hören Sie noch einmal. Welche Möbel findet Irina schön? Unterstreichen Sie in 14a.
1.34

14c Wie finden Sie die Möbel? Schreiben Sie sechs Sätze.

1 *Ich finde den Tisch ...*   4

2   5

3   6

B   Ist das ein Tisch?

15a Was ist das? Ergänzen Sie die Sätze.

1 • Ist das ein Schrank? (der Kühlschrank)

   • *Nein, das ist kein Schrank. Das ist ein ...*

2 • Ist das ein Fernseher? (die Mikrowelle)

   • *Nein,*

3 • Ist das ein Bild? (das Foto)

   • *Nein,*

4 • Ist das ein Sessel? (der Stuhl)

   • *Nein,*

5 • Sind das Kugelschreiber? (der Stift)

   • *Nein,*

◄)) **15b** Kontrollieren Sie mit der CD und sprechen Sie nach.
1.35

C Ein Mehrfamilienhaus

16 Ein Haus. Was ist wo? Ergänzen Sie.

im ersten Stock • im Dachgeschoss • im Erdgeschoss • im zweiten Stock •
im dritten Stock

17 In welchem Stock? Was passt zusammen? Ordnen Sie zu.

1 im EG	**A**	im zweiten Stock
2 im 1. Stock	**B**	im dritten Stock
3 im 2. Stock	**C**	im Dachgeschoss
4 im 3. Stock	**D**	im ersten Stock
5 im DG	**E**	im Erdgeschoss

18 Wer wohnt wo? Schreiben Sie die Antworten.

1 Wer wohnt unten links? ....

2 Wer wohnt im zweiten Stock rechts? ....

3 Wer wohnt im Erdgeschoss rechts? ....

4 Wo wohnen Anke und Hans Jansen? ....

5 Wo wohnt Familie Zafón? ....

D Eine Wohnung suchen

1.36

19a Hören Sie den Text und kreuzen Sie an. Wo wohnt Familie Müller?

◀)) **19b** Hören Sie noch einmal. Kreuzen Sie an: Richtig oder falsch?
1.36

		R	F
1	Herr und Frau Müller wohnen in der Südstraße 17 in Hannover.	☐	☐
2	Das Haus hat zwei Wohnungen.	☐	☐
3	Herr und Frau Müller haben keinen Balkon.	☐	☐

20 Schreiben Sie die Fragen an Familie Müller. Hier sind die Antworten.

1 • *Wie groß ist ihre Wohnung*.........?..... • Wir haben eine 3-Zimmer-Wohnung.

2 • ....? • Die Adresse ist Südstraße 17 in Hannover.

3 • ....? • Ja, wir wohnen im ersten Stock.

4 • ....? • Nein, wir haben keine Terrasse.

21 Ein Haus suchen. Ergänzen Sie die Wörter.

> Miete • Nebenkosten • 4-Zimmer-Wohnung • Einfamilienhaus

Wir haben eine ....

Wir bezahlen 850 Euro .... und 180 Euro ....

Wir haben vier Kinder und die Wohnung ist sehr klein. Wir suchen jetzt ein

....

22 Wohnungsanzeigen. Was bedeuten die Abkürzungen? Schreiben Sie.

EFH, Gartenstadt, 130 qm,
5 Zi., EBK, Bad, ZH,
Miete: 1050 € + 250 € NK

23 Schreibtraining. Lesen Sie den Dialog, ergänzen Sie die Punkte (.) und Fragezeichen (?) und schreiben Sie die Satzanfänge groß.

Fehler +++ Fehler +++ Fehler

• wie wohnen Sie • *Wie*...

• ich wohne in einer 3-Zimmer-Wohnung • ....

• ist die Wohnung ruhig • ....

• es geht, nicht sehr ruhig • ....

• haben Sie einen Balkon • ....

• ja, er ist schön groß • ....

24 Wohnungssuche. Lesen Sie die Texte und die Zeitungsanzeigen. Welche Wohnung passt für Familie Reder, welche passt für Herrn und Frau Rossi? Ordnen Sie zu.

1 Herr und Frau Reder haben drei Kinder. Sie brauchen viel Platz: drei Kinderzimmer, ein Schlafzimmer, ein Wohnzimmer, eine Küche und ein Bad. **Anzeige** ☐

2 Herr und Frau Rossi haben ein Einfamilienhaus in Bissendorf in der Nähe von Osnabrück. Jetzt suchen sie eine Wohnung in Osnabrück. Drei Zimmer sind genug. **Anzeige** ☐

Neue Presse Osnabrück

VERMIETUNGEN

1 **3 Zi.-Whg.** in Wallenhorst, 90 qm, Kü, Bad, Balkon, ruhig und zentral, 950 € + NK

2 **4-Zi.-Whg.** in Wallenhorst, hell, Balkon, 88qm, 1050 € incl. NK

3 **EFH** in Osnabrück, ruhige Lage, 5 Zi, Kü, Bad, Garten, Terrasse, 1900 € + NK

4 **Osnabrück**, 3-Zi.-Wohnung, zentrale Lage, Nähe Bahnhof, 63 qm, Bad, EBK, 450 €+NK

5 **Osnabrück**, **130 qm**, 4 Zi., Kü, Bad, WC, sonnig, 3.OG, 1200 € + NK#

MIETGESUCHE

6 **Osnabrück** Suche 3-Zimmerwohnung, zentrale Lage, bis 1200 € Warmmiete

7 **Nähe Osnabrück**, 5-Zi.-Whg. gesucht

Neue Presse Osnabrück

Der große Wohnungsmarkt in Osnabrück!

25a Im Möbelhaus. Sehen Sie sich das Foto an. Was macht Familie Weber? Was denken Sie? Schreiben Sie Sätze.

....

....

....

....

....

....

🔊 1.37 **25b** Hören Sie den Dialog. Kreuzen Sie an: Wer braucht neue Möbel?

☐ Frau Weber ☐ Jan Weber ☐ Herr Weber

🔊 1.37 **25c** Hören Sie den Dialog noch einmal. Kreuzen Sie an: Richtig oder falsch?

	R	F
1 Jan kauft keine Lampe.	☐	☐
2 Das Bett kostet 350 Euro.	☐	☐
3 Herr Weber findet das Bett nicht schön.	☐	☐
4 Jan braucht keinen Schrank.	☐	☐

die Wohnung,-en ....

das Wohnzimmer, - ....

das Schlafzimmer, - ....

die Küche,-n ....

die Möbel, Pl. ....

der Schrank, "-e ....

der Sessel, - ....

das Sofa, -s ....

das Regal, -e ....

der Teppich, -e ....

das Bild, -er ....

der Vorhang, "-e ....

das Bett, -en ....

der Fernseher, - ....

der Herd, -e ....

die Spüle, -n ....

modern ....

groß ....

klein ....

schön ....

hässlich ....

bequem ....

unbequem ....

da ist, da sind ....

A Wir brauchen eine Mikrowelle

haben ....

brauchen ....

kaufen ....

der Kühlschrank, "-e ....

die Blume, -n ....

die Spülmaschine, -n ....

die Mikrowelle, -n ....

die Waschmaschine, -n ....

die Farbe, -n ....

gelb ....

rot ....

rosa ....

lila ....

blau ....

grün ....

braun ....

schwarz ....

weiß ....

grau ....

orange ....

Wie findest du …? ....

super ....

toll ....

gemütlich ....

ganz schön ....

schlecht ....

langweilig ....

furchtbar ....

C Ein Mehrfamilienhaus

das Erdgeschoss, -e ....

der Stock, Pl.: Stockwerke ....

im ersten/zweiten/
dritten Stock ....

das Dachgeschoss, -e ....

oben ....

unten	....	bezahlen	....
links	....	die Miete, -n	....
rechts	....	die Nebenkosten, Pl.	....
das Geschäft, -e	....	kalt	....
es gibt	....	warm	....
		hell	....

D Eine Wohnung suchen

		dunkel	....
der Quadratmeter, (qm), -	....	laut	....
der Balkon, -s/-e	....		
der Garten,"-	....	ruhig	....
in der Nähe	....	günstig	....
die Zentralheizung, -en	....		....

1.38

1 Wörterrätsel. Welche Wörter finden Sie? Schreiben Sie die Wörter mit Artikel und kontrollieren Sie dann mit der CD.

> ~~Fern~~ • Kühl • Re • Ses • So • Spül • Tep • Vor • Wasch • fa • gal • hang •
> ~~her~~ • ma • ma • schi • ne • ne • schi • schrank • ~~se~~ • sel • pich

1 _der Fernseher_	**4**	**7** ....
2	**5**	**8** ....
3	**6**	**9** ....

> **!** Lerntipp
> Schreiben Sie Möbelwörter auf gelbe Zettel (Post-it). Kleben Sie die Zettel auf die Möbel zu Hause.

1.39

2 Wörter hören und nachsprechen. Hören Sie zu und sprechen Sie nach.

1 gemütlich – bequem – ruhig – ordentlich – modern
2 im Erdgeschoss – im ersten Stock – im Dachgeschoss
3 der Balkon – die Nebenkosten – die Zentralheizung – zehn Quadratmeter

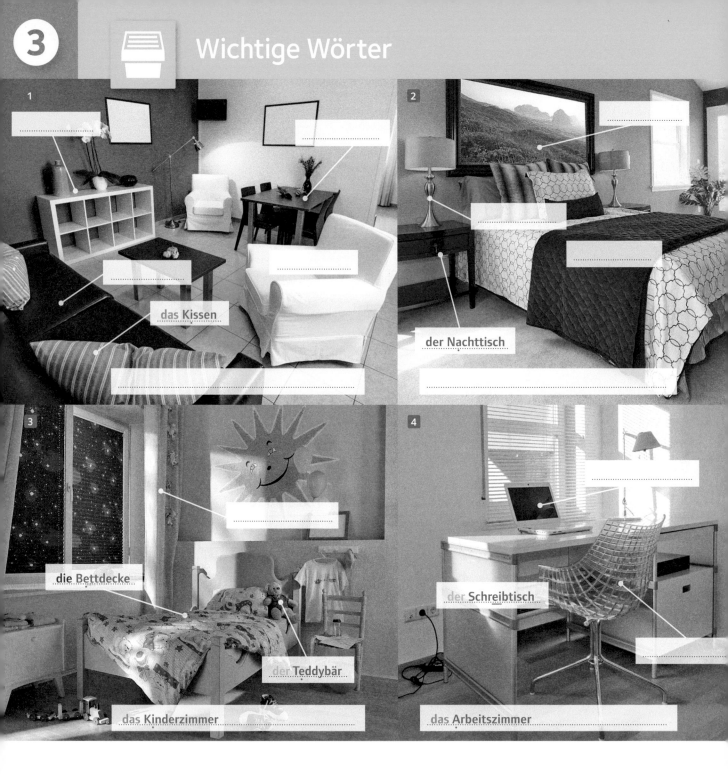

das Kissen

der Nachttisch

die Bettdecke

der Teddybär

das Kinderzimmer

der Schreibtisch

das Arbeitszimmer

3a Ergänzen Sie die Wörter mit Artikel.

3b Hören Sie und sprechen Sie nach.

1.40

4 Welche Möbel sind in der Wohnung? Schreiben Sie in Ihr Heft.

Wohnzimmer: ein Regal, ein Sofa,	Schlafzimmer:
Kinderzimmer:	Arbeitszimmer:
Küche:	Badezimmer:
Balkon:	Keller:

der Küchenschrank

die Toilette

die Badewanne

das Bad/das Badezimmer

der Blumentopf

die Heizungsanlage

die Wäsche

der Keller

5a Wie sind die Zimmer? Schreiben Sie wie im Beispiel.

> groß • klein • hell • dunkel •
> modern • ordentlich • unordentlich

Das Kinderzimmer ist dunkel.

5b Wie finden Sie die Zimmer? Schreiben Sie wie im Beispiel.

> schön • nicht schön • hässlich •
> interessant • langweilig •
> gemütlich • ungemütlich

Das Kinderzimmer ist dunkel.
Ich finde das Zimmer gemütlich.

1 Was sagen Laura und Tobias? Ergänzen Sie. Kontrollieren Sie dann mit der CD.

1.41

Thomas ist mein .Vater. und Stephanie ist meine ....
Ich habe einen ...., er heißt Tobias. Klara ist meine
.... und Peter ist mein ....
Sie haben immer viel Zeit, das finde ich toll.

Laura ist meine .... Stephanie und Thomas sind meine
.... Und Klara und Peter sind meine
....

2 Verwandte. Was passt zusammen? Ergänzen Sie.

1 Großmutter   + ...   = Großeltern

2 ....   + Vater   = ...

3 Schwester   + ...   = ...

4 Tante   + ...

5 ....   + Cousin

A Familienfotos

◀)) 1.42 **3a** Hören Sie die Dialoge und ordnen Sie zu. Welcher Dialog passt?

DIALOG ☐

DIALOG ☐

◀)) 1.43 **3b** Hören Sie die Dialoge noch einmal. Wer ist wer? Ergänzen Sie.

1 Alberto: *Bruder*........ Maria: .... Rita: .... Daniel: ....

2 Martin: .... Bianca: .... Caroline: .... Marc: ....

4 Possessivartikel. Ergänzen Sie die Tabelle.

ich		Vater		Kind		Mutter		Großeltern
du	*dein*	Vater		Kind		Mutter		Großeltern
er/es	*sein*	Vater	*sein*	Kind		Mutter		Großeltern
sie		Vater		Kind		Mutter	*ihre*	Großeltern
Sie		Vater		Kind		Mutter	*ihre*	Großeltern

5 Lesen Sie die Sätze und ergänzen Sie die Possessivartikel.

1 Ich heiße Anita. .... Bruder heißt Stefan und .... Frau heißt Beate.

2 Frau Sander hat zwei Kinder. .... Tochter ist 13 und .... Sohn ist 15 Jahre alt.

3 ● Herr Duman, lebt .... Frau auch in Deutschland? ● Nein, ... Frau lebt noch in der Türkei.

4 ● Was ist .... Mann von Beruf, Sandra? ● .... Mann ist Buchhalter.

5 ● Was ist .... Frau von Beruf, Herr Klein? ● .... Frau ist Musikerin.

6 Angaben zur Person. Ergänzen Sie *mein/meine* oder *Ihr/Ihre*.

1 ● Wie ist .... Name?

   ● .... Nachname ist Monti und .... Vorname ist Eva.

2 ● Und wie ist .... Adresse?

   ● .... Adresse ist Schellingstraße 123, 80798 München.

7   *Sein/seine* oder *ihr/ihre*? Ergänzen Sie die Sätze.

1   Das ist Marvin.

.... Schwester heißt Leonie.

Das ist .... Laptop.

Hier liegt .... Heft.

.... Handy ist kaputt.

2   Das ist Leonie.

.... Bruder heißt Marvin.

Das ist .... Laptop.

Hier liegt .... Buch.

.... Brille ist kaputt.

8   Schreiben Sie zu den Antworten je zwei Fragen: formell und informell.

1   Meine Eltern wohnen in Peru.
2   Mein Vater ist Arzt.

3   Meine Geschwister heißen Sandra und Piero.
4   Mein Sohn ist drei Jahre alt.

formell
1. Wo wohnen Ihre Eltern? ....

informell
1. Wo wohnen deine Eltern? ....

....

....

9   Und Ihre Familie? Schreiben Sie einen kurzen Text über Ihre Familie.

....

....

....

B   Freizeit mit der Familie

10   Kreuzworträtsel. Welches Verb passt? Ergänzen Sie. Wie heißt das Lösungswort?

1   Schokolade
2   Türkisch
3   einen Film
4   ein Buch
5   nach Köln
6   eine Freundin
7   Fußball
8   den Bus

| e | s | s | e | n |

essen • lesen • sprechen • treffen • spielen • nehmen • sehen • fahren

Lösungswort:

| s | | | | | | | | |

11a Verben mit Vokalwechsel. Ergänzen Sie die Tabelle.

	nehmen	essen	lesen	fahren	schlafen
ich					
du					
er/es/sie					
wir					
ihr					
sie/Sie					

11b Lesen Sie die Dialoge und ergänzen Sie die Verben.

1 • Was macht Georg?

• Er .... (schlafen)

2 • .... Sie das Buch?

• Ja, ich .... es. (nehmen, nehmen)

3 • .... du Frau Klein?

• Nein, sie hat keine Zeit. (treffen)

4 • .... du?

• Nein, ich .... einen Film. (lesen, sehen)

5 • .... Jan nach Frankfurt?

• Ja, er .... da einen Freund. (fahren, treffen)

6 • Was macht Tatjana?

• Sie .... Schokolade und .... einen Film. (essen, sehen)

7 Herr Guardiola .... Deutsch, aber seine Muttersprache ist Spanisch. (sprechen)

8 Frau Gupta .... nach Berlin. (fahren)

12 Die Familie von Tom am Sonntag. Wer macht was? Schreiben Sie Sätze.

> schlafen • einen Film sehen • ~~spielen~~ •
> Schokolade essen • Pizza essen •
> ein Buch lesen • eine E-Mail schreiben

Tom und seine Cousine spielen. ....

....

....

....

13 *Wo* oder *wohin*? *In* oder *nach*? Ergänzen Sie die Fragewörter und die Präpositionen.

1 • .... wohnen Sie? • Ich wohne .... Hamburg.

2 • Und .... fahren Sie jetzt? • Ich fahre jetzt .... Barcelona.

3 • Und ich bin jetzt .... Barcelona und fahre morgen .... Hamburg.

14 Was ist richtig? Streichen Sie die falschen Wörter.

1 eine Radtour   machen – ~~fahren~~ – ~~gehen~~
2 eine Stadt   kaufen – besichtigen – machen
3 ein Straßenfest   tanzen – besuchen – essen
4 Lebensmittel   leben – gehen – kaufen
5 Sehenswürdigkeiten   besuchen – besichtigen – machen

◀»
1.44

15a Bremen. Hören Sie das Telefongespräch. Kreuzen Sie an: Was besichtigen Evia und Ivan zuerst?

Der Roland

Das Schnoorviertel

Die Böttcherstraße

Die Bremer Stadtmusikanten

◀»
1.44

15b Hören Sie das Telefongespräch noch einmal. Kreuzen Sie an: Richtig oder falsch?

		R	F
1	Evia und Ivan frühstücken in der Böttcherstraße.	☐	☐
2	Sie besichtigen das Schnoorviertel.	☐	☐
3	Ivan macht gern Hafenrundfahrten.	☐	☐
4	Sie besichtigen den Hafen.	☐	☐

16 Was macht Herr Tsoulis am Wochenende? Schreiben Sie Sätze mit *zuerst*, *dann* und *danach*.

> **1** Lebensmittel kaufen • **2** einen Freund besuchen • **3** zu Mittag essen •
> **4** einen Kaffee trinken • **5** einen Film sehen

1 Zuerst   *kauft*   *er* ....
2 Dann   ....
3 Danach   ....
4 Dann   ....
5 Danach   ....

17 Ergänzen Sie die Antworten mit *kein/keine/keinen*.

1 • Gibt es in Köln eine Böttcherstraße?
  • Nein, es gibt .... Böttcherstraße in Köln.

2 • Gibt es in München einen Hafen?
  • Nein, es gibt .... Hafen in München.

3 • Gibt es in Jena einen Marienplatz?
  • Nein, es gibt .... Marienplatz in Jena.

4 • Gibt es am Wochenende ein Straßenfest?
  • Nein, es gibt am Wochenende .... Straßenfest.

18 Was machen wir? Schreiben Sie einen Dialog. Die Dialoggrafik hilft.

kommen – wann?

am Samstag / machen – was?

zuerst – einen Freund – besuchen / dann – die Stadt – besichtigen

auch ein Straßenfest – besuchen?

nein, am Samstag – kein Straßenfest

• *Hallo, Jan! Wann kommst du?*
• ....
• ....
• ....
• ....
• ....

19 Welche Sehenswürdigkeiten gibt es in Ihrem Wohnort? Schreiben Sie einen Dialog wie in 18.

• *Hallo Beata! Wann kommst du?*
• ....

C Familien früher

20 Früher und jetzt. Was passt? Ordnen Sie die Sätze zu.

> Früher war ich ein Kind. • Jetzt habe ich ein Kind. •
> Jetzt bin ich Mutter. • Früher hatte ich kein Kind.

1 ....

2 ....

21a *Haben* und *sein* im Präteritum. Ergänzen Sie die Tabelle.

	haben
ich	*hatte*
du	
er/es/sie	
wir	
ihr	
sie/Sie	

	sein
ich	*war*
du	
er/es/sie	
wir	
ihr	
sie/Sie	

21b *Haben* oder *sein*? Ergänzen Sie *haben* oder *sein* im Präteritum.

1 • .... du früher Arbeit • Nein, früher .... ich keine Arbeit.

2 • .... deine Großmutter viele Geschwister? • Ja, sie .... vier Brüder.

3 • .... du schon in Warschau? • Nein, aber ich .... schon in Krakau.

4 • .... ihr schon im Reichstag? • Ja, und am Potsdamer Platz .... wir auch.

5 • .... Julia schon in Kolumbien? • Nein, aber sie .... schon in Brasilien.

22 Früher und jetzt. Ergänzen Sie *haben* und *sein* im Präsens oder Präteritum.

1 Früher .... die Familien in Deutschland groß. Jetzt .... sie oft klein.

2 Früher .... wir viel Zeit. Jetzt .... wir keine Zeit.

3 Früher .... ich eine Wohnung. Jetzt .... ich ein Haus.

4 Früher .... Beata Köchin. Jetzt .... Beata Chefköchin.

23a Schreibtraining. Umlaute. Schreiben Sie die Pluralformen.

der Sohn, "-e   Plural: *die Söhne*........   die Tochter, "-   Plural: ....

der Bruder, "-   Plural: ....   das Haus, "-er   Plural: ....

23b Korrigieren Sie den Text und ergänzen Sie die Punkte für die Umlaute (ä, ö, ü).

Fehler +++ Fehler +++ Fehler

> Roberto wohnt in Frankfurt. Am Wochenende fahrt er nach Berlin. Er besucht seine zwei
>
> Bruder. Sie leben in Berlin. Sie besichtigen zusammen viele Sehenswurdigkeiten. Er findet
>
> Berlin schon. Dann gehen sie einkaufen. Roberto kauft drei Bucher. Sie essen zusammen
>
> und Roberto schlaft in Berlin. Am Sonntag fahrt er wieder nach Frankfurt.

1.45

23c Hören und kontrollieren Sie dann mit der CD.

24 Meine Familie. Machen Sie einen Stammbaum.

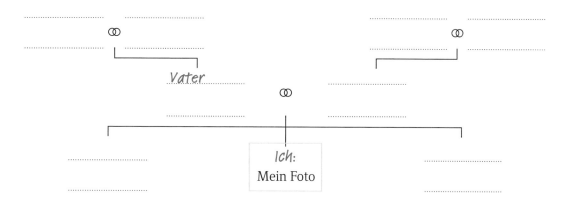

....
⚭   ⚭
....

Vater........................ ....

⚭

....

.... | Ich: | ....
                           | Mein Foto |
....

25a Grüße aus Dresden. Lesen Sie die Karte und beantworten Sie die Fragen.

> Hallo Lisa,
> endlich bin ich in Dresden. Die Stadt ist toll! Heute
> besichtigen Martin und ich den Zwinger und die
> Frauenkirche. Morgen machen wir einen Spaziergang
> an der Elbe und gehen dann in das Residenzschloss.
> Am Abend gehen wir in ein Konzert in der Semperoper.
> Was machst du? Wann kommst
> du wieder nach Stuttgart?
> Viele Grüße
> Karina
>
> Lisa Dressler
> Baumweg 8a
> 60316 Frankfurt

1 Wer ist in Dresden? ....

2 Was machen sie heute? ....

3 Was machen sie morgen? ....

25b Schreiben Sie Karina eine Karte. Schreiben Sie zu jedem Punkt einen Satz.

- Sie waren schon in Dresden. Sie finden die Stadt schön.
- Ihr Wochenende: eine Freundin / einen Freund in Regensburg besuchen
- Am Samstag: eine Schifffahrt auf der Donau machen und ins Kino gehen

> _Liebe Karina,_.............................
>
> _vielen Dank für deine Karte. Ich war_...
>
> ....
>
> _Ich komme im Sommer nach Stuttgart. Jetzt habe ich viel Arbeit und keine Zeit._
>
> _Bis bald und viele Grüße._
>
> ....

der Vater, "- ....

die Mutter, "- ....

die Eltern, Pl. ....

der Bruder, "- ....

die Schwester, -n ....

die Geschwister, Pl. ....

der Onkel, - ....

die Tante,-n ....

der Sohn, "-e ....

die Tochter, "- ....

A Familienfotos

das Foto, -s ....

zu Hause ....

studieren ....

B Freizeit mit der Familie

die Freizeit, Sg. ....

die Familie, -n ....

alle ....

faulenzen ....

schlafen ....

essen ....

lesen ....

sehen ....

nehmen ....

fahren ....

treffen ....

die Schokolade, Sg. ....

die Pizza, -s/Pizzen ....

der Film, -e ....

nach: nach Berlin ....

nach Hause ....

Zeit haben ....

gern, gerne ....

die Sehenswürdigkeit, -en ....

das Wochenende, -n ....

am Wochenende ....

bleiben ....

chillen ....

der Tag, -e ....

wo ....

wohin ....

die Radtour, -en ....

der Supermarkt, "-e ....

die Lebensmittel, Pl. ....

besichtigen ....

besuchen ....

das Straßenfest, -e ....

zu Mittag essen ....

der Kaffee, Sg. ....

trinken ....

kennen ....

zuerst ....

dann ....

danach ....

C Familien früher

früher ....

alles anders ....

....

....

1 Familienwörter. Bilden Sie Wortpaare und sprechen Sie sie.

O̶n̶k̶e̶l̶ • Schwester • Mutter • Sohn • T̶a̶n̶t̶e̶ • Bruder • Tochter • Vater

mein Onkel und meine Tante

Lerntipp
Lernen Sie Familienwörter in Paaren.

2 Was können Sie über Ihre Familie sagen? Schreiben Sie Fragen und Antworten auf Karten. Üben Sie dann zu zweit.

Haben Sie Kinder?

Ja, ich habe zwei Kinder. /
Nein, ich habe keine
Kinder.

Wie alt ist Ihre Tochter?

Meine Tochter ist fünf
Jahre alt.

Wie groß ist Ihre
Familie?

Ich habe zwei Brüder.
Ich habe keine
Geschwister.

Lerntipp
Lernen Sie Minidialoge mit Karten.
Wiederholen Sie die Dialoge oft.

3 Was passt zusammen? Verbinden Sie die Nomen und die Verben und schreiben Sie Sätze.

eine Radtour • Sehenswürdigkeiten •
Lebensmittel • zu Mittag • einen Kaffee • ein Straßenfest • meine Freunde

besuchen • treffen •
machen • trinken • besichtigen •
essen • kaufen

1 .... 4 ....

2 .... 5 ....

3 .... 6 ....

4 Wörter hören und nachsprechen. Hören Sie zu und sprechen Sie nach.

1 die Lebensmittel – der Supermarkt – die Schokolade – die Sehenswürdigkeit
2 schlafen – sehen – fahren – treffen – nehmen
3 zuerst – dann – danach – früher – jetzt

Diego

eine Zeitung *lesen*

im Restaurant

eine Radtour

eine Schifffahrt auf dem Rhein

Köln

nach Köln

eine E-Mail

eine Pizza im Supermarkt

den Dom besichtigen

5 Sehen Sie die Fotos an und ergänzen Sie die Verben.

> besuchen • essen • essen • essen • fahren • kaufen • lernen • ~~lesen~~ •
> machen • machen • machen • nehmen • schreiben • trinken

6 Kontrollieren Sie mit der CD. Hören Sie und sprechen Sie nach.
1.47

7 Was macht Diego? Was macht Isabel? Sagen Sie Sätze wie im Beispiel.

Isabel besucht ihre Großeltern.

Diego liest eine Zeitung.

Isabel

einen Kaffee ....

den Bus ....

zu Mittag ....

im Restaurant ....

chillen

eine Schifffahrt auf dem Rhein

....

Deutsch ....

ihre Großeltern ....

🔊 **8a** Wer macht was wann? Hören Sie und nummerieren Sie die Aktivitäten.
1.48

8b Schreiben Sie die Geschichte.

Diego liest zuerst eine Zeitung. Danach macht er ....

....

9 Was machen Sie gern am Wochenende? Schreiben Sie Sätze.

Ich mache oft eine Radtour. ....

....

Station

1

1 Lesen Sie und ergänzen Sie in A–I.

✓ ✗ **Ich kann auf Deutsch**

☐ ☐ **A** sagen, wie es mir geht und fragen, wie es jemandem geht.

1 • Herr Meier, wie .... es ....   **2** • Hallo Susanne, wie .... es ......?

   • Danke, ...☺. Und Ihnen?   • Danke, ... Und ......?

   • Auch ....☺.   • Es ....☹.

☐ ☐ **B** meinen Namen, mein Heimatland, meinen Beruf und meine Adresse sagen

   • Wie heißen Sie?

   • ....

   • Woher kommen Sie?

   • ....

   • Was sind Sie von Beruf?

   • ....

   • Wie ist Ihre Adresse?

   • ....

☐ ☐ **C** Zahlen verstehen und meine Telefonnummer sagen.

acht: *8* .... vierig: .... dreizehn: .... zweiunddreißig: .... hundertsechs: ....

   • Entschuldigung, wie ist Ihre Telefonnummer?

   • *Meine* ....

☐ ☐ **D** sagen, welche Sprachen ich spreche.

   • Welche Sprachen .... Sie?

   • Ich .... und ein bisschen ....

☐ ☐ **E** über meine Wohnung sprechen.

Ich wohne im zweiten .... Wir haben eine 3-Z.................. -W....................

Die W.................. ist 120 qm g..................! Sie ist aber nicht t.................. Ich

brauche noch M................... Im Wohnzimmer habe ich noch keinen S..................

und keine B..................

F nach Preisen fragen und Preise sagen. ☐ ☐

A 1,19 €

- Wie viel .... das Brot?
- Es .... 1,19 €.

B 249 €

- ....
- .... 249 €.

G sagen, dass mir etwas (nicht) gefällt. ☐ ☐

1 • .... findest du den Stuhl?
- Ich finde den Stuhl .... ☺.
- Oh nein, der Stuhl ist .... ☹!

2 • ....
- .... ☹.
- .... ☺.

H über meine Familie sprechen. ☐ ☐

- Wie .... ist Ihre Familie?
- Ich habe .... Geschwister.
- .... Sie Kinder?
- Ja, ich habe .... Kinder. / Nein, ich habe .... Kinder

I etwas planen. ☐ ☐

> Lebensmittel kaufen • einen Stadtbummel machen • den Hafen besichtigen •
> ein Straßenfest besuchen

Zuerst kaufen wir ....

Dann ....

....

2 Kontrollieren Sie mit den Lösungen und markieren Sie ✓ für *kann ich* und ✗ für *kann ich nicht so gut.*

1 Was machen die Leute? Sehen Sie die Fotos an und schreiben Sie Sätze.

1 _Sie tanzen._   2 ....   3 ....

4 ....   5 ....   6 ....

7 ....   8 ....   9 ....

2a 🔊 1.49   Was ist ihr Hobby? Hören Sie und kreuzen Sie an: Richtig oder falsch?

	R	F
1 Peter Böhme findet Fußball langweilig.	☐	☐
2 Martin Berger surft gern im Internet.	☐	☐
3 Barbara Veit macht einen Tanzkurs.	☐	☐
4 Brigitte Tillner joggt nicht gern.	☐	☐

2b 🔊 1.49   Hören Sie noch einmal. Was machen die Personen gern, was machen sie nicht gern? Schreiben Sie.

	☺		☹	
Peter Böhme	☺	_Fußball spielen_	☹	....
Martin Berger	☺	....	☹	....
Barbara Veit	☺	....	☹	....
Brigitte Tillner	☺	....	☹	....

A   Wie spät ist es?

3   Uhrzeiten. Ordnen Sie zu.

> halb • Viertel nach • zwanzig nach • zehn vor • zehn nach • Viertel vor • zwanzig vor

Es ist ...

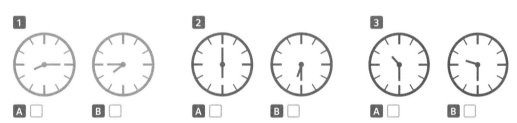

◀))
1.50

4   Wann beginnt ...? Hören Sie und kreuzen Sie an.

1		2		3	
A ☐	B ☐	A ☐	B ☐	A ☐	B ☐

5   Welche Antwort passt? Ordnen Sie zu.

1 Wann beginnt der Deutschkurs?   A Ja, genau.
2 Und bis wann geht der Kurs?   B Um neun.
3 Geht der Kurs also von neun bis zwölf?   C Um halb eins. Dann esse ich.
4 Und wann kommst du nach Hause?   D Bis zwölf Uhr.

6a   Wie spät ist es? Uhrzeiten offiziell und nicht offiziell. Schreiben Sie.

1 halb neun   *8:30 / 20:30*   5 zwanzig vor eins   ....

2 fünf nach drei   ....   6 Viertel vor elf   ....

3 zehn vor sechs   ....   7 zwölf Uhr   ....

4 Viertel nach vier ....   8 zehn nach sechs   ....

6b Wie spät ist es? Schreiben Sie die Uhrzeiten offiziell und nicht offiziell.

1 07:45   *Es ist sieben Uhr fünfundvierzig.*   *Es ist Viertel vor acht.*

2 11:05   ....

3 13:20   ....

4 19:45   ....

5 23:20   ....

7 Das Fernsehprogramm. Ergänzen Sie *um*, *bis* und *von…bis*.

1 • Wann ist heute das Fußballspiel? • Moment, hier steht .... Viertel vor neun.

2 • Heute kommt ein Film. • Ja, aber so spät! Er geht .... zehn .... zwölf.

3 • Bis wann geht der Krimi? • .... Viertel nach acht.

B   Was macht Frau Costa am Samstag?

8 Ein Tag von Hannes. Ordnen Sie die Sätze zu und ergänzen Sie dann die Infinitive.

1 Dann kauft er ein. *einkaufen* 4 Hannes steht um halb acht auf. ....

2 Danach sieht er fern. .... 5 Er räumt sein Zimmer auf. ....

3 Er geht mit Martin aus. ....

9 Was machen Silvia und Sebastian am Samstag? Ergänzen Sie die Verben.

mitnehmen • mitkommen • ~~aufstehen~~ • fernsehen • einkaufen • aufräumen

1 Silvia und Sebastian   *stehen*   um neun Uhr   *auf*.

2 Sebastian   ....   die Wohnung   ....

3 Silvia   ....   Lebensmittel   ....

4 Sie   ....   ihre Tochter   ....

5 Dann gehen sie schwimmen.
  Eine Freundin   ....

6 Um 20 Uhr   ....   sie alle   ....

◀)) 1.51   **10**   **Was macht Claudia Costa am Samstag? Schreiben Sie Sätze wie im Beispiel.**
Kontrollieren Sie dann mit der CD und sprechen Sie nach.

1   einkaufen   *Claudia kauft ein.*

    am Samstag   *Claudia kauft am Samstag ein.*

    am Samstag Lebensmittel   *Claudia kauft am Samstag Lebensmittel ein.*

2   anrufen   *Claudia...*

    Martin

    Martin oft

3   ausgehen

    am Samstag

    am Samstag gern

11   **Was fehlt? Ergänzen Sie.**

> an • mit • an • auf • fern • ein

1   ● Wann fängt der Film ....?   ● Um neun Uhr. Danielle kommt ....

2   ● Kaufst du heute ....?   ● Ja, und räumst du die Wohnung ....?

3   ● Was machst du jetzt?   ● Zuerst rufe ich Hans .... und dann sehe ich ....

12   **Zeitangaben im Satz. Schreiben Sie die Sätze neu. Beginnen Sie mit den Zeitangaben.**

1   Julia geht **um halb zwei** spazieren.   *Um halb zwei geht*

2   Sie macht **von zwei bis drei** Hausaufgaben.   *Von zwei*

3   Sie geht **dann** einkaufen.

4   Sie isst **um halb sieben** Pizza.

5   Sie ruft **um 20 Uhr** ihre Freundin an.

6   Sie machen **am Wochenende** einen Ausflug.

C   Meine Woche

13   **Wie heißen die Wochentage? Ergänzen Sie im Wochenplan.**

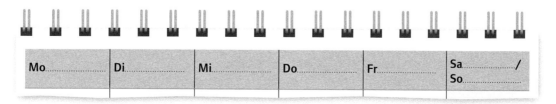

Mo	Di	Mi	Do	Fr	Sa .... /
					So ....

14 Die Woche von Maria. Ergänzen Sie die Wochentage.

Montag	Dienstag	Mittwoch	Donnerstag	Freitag	Samstag/ Sonntag
9–12 Uhr: Arbeit	10.30 Uhr: Friseur	ab 19.00 Uhr: Arbeit	10.00 Uhr: Constanza	13.00 Uhr: Arbeit	München
	20.30 Uhr: Kino				

1 Am .... trifft Maria eine Freundin.

2 Am .... geht sie ins Kino.

3 Am ...., ... und .... arbeitet sie.

4 Am .... hat sie einen Friseurtermin.

5 Am .... und .... ist sie in München.

15 Am Tag und in der Nacht. Ergänzen Sie die Tageszeiten.

am Morgen ....

16 Was passt? Ergänzen Sie die Präpositionen *am* oder *um*.

● Gehen wir .... Donnerstag ins Kino?

● Ja. .... Donnerstag habe ich Zeit. Und .... wie viel Uhr?

● Der Film beginnt .... neun und geht bis halb zwölf.

● So lange? Das ist schlecht. Kommt der Film auch .... Samstag?

● Ja, und schon .... 15 Uhr. Gehen wir am Samstag?

17 Was macht Manuel wann? Lesen Sie den Plan und schreiben Sie Sätze.

Montag
9–12.30 Uhr arbeiten
15.00 Uhr einkaufen
20.00 Uhr Susanne treffen
Dienstag
10.00 Uhr Fahrrad reparieren
12.00 Uhr Ausflug machen mit Susanne
16.00 Uhr schwimmen gehen
20.00 Uhr kochen mit Susanne

Am Montagvormittag arbeitet Manuel.
....
....
....
....
....
....
....

18a Was machen Sie am Wochenende? Ergänzen Sie den Terminkalender.

> essen mit… • arbeiten • Deutsch lernen • …anrufen • …besuchen • …

Freitag	Samstag	Sonntag
9–12.00 Uhr: Deutsch lernen		

18b Was machen Sie wann? Schreiben Sie Sätze.

Am Freitagvormittag lerne ich von 9 bis 12 Uhr Deutsch.

D Hast du Zeit?

19 Textkaraoke. Hören, lesen und sprechen Sie die 👄-Rolle im Dialog.

1.52

👂 …

👄 Heute habe ich keine Zeit, ich arbeite am Abend.

👂 …

👄 Ja, morgen geht es um 18.00 Uhr.

👂 …

👄 O.k. Um 19 Uhr?

👂 …

👄 Bis morgen.

20 Ist die Antwort positiv oder negativ? Lesen Sie und kreuzen Sie an.

	🙂	🙁
1 • Kommst du heute Abend? • Nein, ich habe keine Lust.	☐	☐
2 • Hast du heute Zeit? • Ja, ich habe Zeit. Was machen wir?	☐	☐
3 • Gehen wir am Sonntag tanzen? • Ja, das geht.	☐	☐
4 • Kannst du am Freitagabend kommen? • Nein, leider nicht.	☐	☐
5 • Fahren wie zusammen nach Berlin? • Ja gerne, wann?	☐	☐

21 Schreiben Sie einen Dialog. Die Dialoggrafik hilft.

ins Kino-gehen? → ☺ wann?

Samstagabend / 20 Uhr? ←

→ ☹ Eltern kommen am Wochenende

wann-Zeit? ←

→ vielleicht-Sonntagabend / Film-beginnt-wann?

19 Uhr ←

→ geht / Eltern bleiben bis Sonntagmittag

☺ bis Sonntagabend ←

• ....
• ....
• ....
• ....
• ....
• ....
• ....
• ....
• ....

◀)) 1.53 **22a** Hören Sie zu und kreuzen Sie an. Was machen Marina und Katja?

◀)) 1.53 **22b** Hören Sie den Dialog noch einmal und kreuzen Sie an: Richtig oder falsch?

	R	F
1 Marina und Katja wohnen in Köln.	☐	☐
2 Katja hat heute Abend keine Zeit.	☐	☐
3 Marina trifft am Donnerstag Freunde.	☐	☐
4 Katja und Marina gehen am Freitag essen.	☐	☐
5 Am Samstag fahren sie nach Bremen.	☐	☐

◀)) 1.54 **23** Schreibtraining: Vokal + *h*. Hören Sie und ergänzen Sie.

> ah • ah • eh • eh • eh • Ih • ih • oh • oh • uh • äh • üh

1 Wie g.........t es ....nen?

2 Der L.........rer w.........nt in der N.........e.

3 In der Küche ist ein St.........l und ein K.........lschrank.

4 Mein S.........n hat ein F.........rrad.

5 N.........mt ....r die S-B.........n?

> ❗ Vokal+*h*:
> Lange Vokale schreibt man oft mit *h*.
> Das *h* spricht man nicht.

24 Wann findet was statt? Lesen Sie und ergänzen Sie den Wochenplan.

1 ☐ **Hertha BSC – SC Freiburg**
Olympiastadion Samstag 15.30 Uhr
Karten: 622 45 66

2 ☐ **China Restaurant Ming**
Brückenstraße 1, 10179 Berlin
(030) 76684957
Jeden Samstag von 18.00 bis 23.00 Buffet.

3 ☐ **Philharmonie Berlin**
Herbert-von-Karajan-Str. 1, 10785 Berlin
Werke von Schumann und Beethoven
Freitag, 11.4. 20.00 Uhr

4 ☐ **Berliner Ensemble**
Bertolt-Brecht-Platz 1, 10117 Berlin
Was ihr wollt – Shakespeare
Sonntag, 13.4., 20 Uhr

5 ☐ **Deutsche Oper Berlin**
Bismarckstraße 35
10627 Berlin
Freitag, 11.04., 19.00 Uhr: Don Giovanni
von W.A. Mozart

6 ☐ **Theater am Potsdamer Platz**
Marlene-Dietrich-Platz 1
10785 Berlin
Hinterm Horizont. Das Berlin-Musical.
Samstag, 12.4., 19.00 Uhr

7 ☐ **Filmmuseum**
Samstag, 12.4 und Sonntag,
13.4. um 15.00 Uhr
Der Navigator, Regie: Buster Keaton
USA 1925 Stummfilm mit
Klavierbegleitung
Potsdamer Str. 2, 10785 Berlin

🔊 1.55 **25 a** Hören Sie den Dialog. Über welche Veranstaltungen sprechen Jochen und Franka?
Kreuzen Sie in 24 an.

Freitag, 11.4.	Samstag, 12.4.	Sonntag, 13.4.
19 Uhr, Mozart, Don Giovanni		

🔊 1.55 **25b** Hören Sie den Dialog noch einmal und kreuzen Sie an: Richtig oder falsch?

	R	F
1 Jochen findet Fußball interessant.	☐	☐
2 Franka mag keine Musik.	☐	☐
3 Jochen und Franka gehen am Samstag ins Filmmuseum.	☐	☐
4 Jochen hat am Sonntag keine Zeit.	☐	☐
5 Jochen und Franka kochen zusammen.	☐	☐

Fußball spielen ....

joggen ....

ein Bild malen ....

tanzen ....

im Internet surfen ....

grillen ....

Musik hören ....

schwimmen ....

das Hobby, -s ....

(nicht) gern, gerne ....

A Wie spät ist es?

spät ....

Wie spät ist es? ....

halb ....

Viertel vor ....

Viertel nach ....

um ....

beginnen ....

Um wie viel Uhr? ....

enden ....

gehen ....

von … bis ....

Der Kurs geht von neun bis zwölf. ....

die Pause, -n ....

der Zug, "-e ....

der Radiowecker, - ....

klingeln ....

das Flugzeug, -e

der Krimi, -s ....

B Was macht Frau Costa am Samstag?

an}rufen ....

das Kino, -s ....

an}fangen ....

auf}hören ....

auf}stehen ....

auf}räumen ....

ein}kaufen ....

mit}nehmen ....

die Zeitung, -en ....

fern}sehen ....

aus}gehen ....

weg}fahren ....

mit}kommen ....

statt}finden ....

aus}fallen ....

ein}kaufen gehen ....

spazieren gehen ....

jeden Tag ....

der Ausflug, "-e ....

heute ....

C Meine Woche

die Woche, -n ....

der Montag, -e ....

der Dienstag, -e ....

der Mittwoch, -e ....

der Donnerstag, -e ....

der Freitag, -e ....

der Samstag, -e ....

der Sonntag, -e ....

		D **Hast du Zeit?**	
die Hausaufgabe, -n	....		
das Fahrrad, "-er	....	Schach spielen	....
reparieren	....	zusammen	....
am Morgen	....	vielleicht	....
am Vormittag	....	Lust haben	....
am Mittag	....	Zeit haben	....
am Nachmittag	....	später	....
am Abend	....	leider	....
in der Nacht	....	kochen	....
die Fahrkarte, -n	....		
der Dienstagabend, -e	....		

1 Sammeln Sie trennbare Verben aus der Wortliste auf Seite 62 und 63 und schreiben Sie Minidialoge.

an⟩fangen _____   _ein⟩kaufen_ _____

+ Wann fängt der Film an?
– Um acht Uhr.

+ Was kaufen Sie heute ein?
– Lebensmittel.

> **(!)**
> Lerntipp
> Schreiben Sie trennbare Verben im Satz: Schreiben Sie die Verben auf Karten und markieren Sie die Vorsilben, zum Beispiel: an⟩fangen. Schreiben Sie dann einen Satz mit den Verben.

2 Was passt zusammen? Ordnen Sie zu und schreiben Sie Sätze wie im Beispiel.

ein Bild • im Internet • Musik • einkaufen • Schach • ein Fahrrad • Fußball • spazieren • ins Kino	gehen • gehen • gehen • hören • malen • reparieren • spielen • spielen • surfen

Ich gehe gern einkaufen. ....

....

🔊
1.56

3 Wörter hören und nachsprechen. Hören Sie zu und sprechen Sie nach.

1 der Tag – die Woche – das Wochenende
2 das Hobby – im Internet surfen – Musik hören – spazieren gehen
3 anfangen – aufhören – ausgehen – fernsehen

Karten spielen

Karaoke singen

basteln

ein Würfelspiel spielen

☐ fernsehen	☐ Karten spielen	☐ Musik hören
☐ im Internet surfen	☐ kochen	☐ tanzen
☐ basteln	☐ ausgehen	☐ Karaoke singen
☐ ein Würfelspiel spielen	☐ ein Buch lesen	☐ chillen

4   Sehen Sie die Bilder an und ordnen Sie die Aktivitäten zu.

🔊 **5**   Hören Sie die neuen Wörter und sprechen Sie nach.
1.57

🔊 **6a**   Welche Aktivitäten hören Sie? Unterstreichen Sie im Kasten auf Seite 64 und 65.
1.58

🔊 **6b**   Hören Sie noch einmal. Wie findet Herr Vorfelder die Hobbys von seiner Frau?
1.58   Wie findet Frau Vorfelder die Hobbys von ihrem Mann? Schreiben Sie.

zelten
wandern
kegeln
Volleyball spielen
Musik machen
fotografieren

☐ Volleyball spielen ☐ joggen ☐ Freunde treffen
☐ zelten ☐ wandern ☐ einen Film sehen
☐ kegeln ☐ Fußball spielen ☐ schlafen
☐ fotografieren ☐ schwimmen gehen ☐ Musik machen

7 Was finden Sie interessant? Was finden Sie langweilig? Was machen Sie (nicht) gerne?
Schreiben Sie fünf Sätze.

Ich treffe gerne ....

Fotografieren finde ich ....

1 Finden Sie zwölf Lebensmittel und ordnen Sie sie zu. Schreiben Sie die Wörter mit Artikel.

T	O	M	A	T	E	L	B
A	L	B	U	T	T	E	R
K	U	C	H	E	N	M	O
Ä	V	O	S	E	R	I	T
S	A	L	A	T	S	M	A
E	T	I	W	E	I	N	P
K	A	F	F	E	E	H	F
O	B	A	N	A	N	E	E
A	P	M	I	L	C	H	L
J	O	G	H	U	R	T	E

Getränke:

der Kaffee ....

....

....

Backwaren:

....

....

Obst und Gemüse:

....

....

....

....

Milchprodukte:

....

....

....

2 Was essen und trinken Sie gern / nicht gern? Schreiben Sie sechs Sätze.

☺ _Ich esse gern_ ....   ☹ _Ich esse nicht gern_ ....

☺ ....   ☹ ....

☺ ....   ☹ ....

3a Wie oft? Ordnen Sie die Wörter.

> manchmal • ~~täglich~~ • selten • nie • oft

täglich ....

3b Schreiben Sie sechs Sätze mit den Wörtern aus 3a.

> Tee trinken • Salat essen • aufräumen • einen Ausflug machen • Auto fahren •
> Deutsch lernen • Musik hören • Fußball spielen • kochen • …

1 ....   4 ....

2 ....   5 ....

3 ....   6 ....

A   Der Einkaufszettel

4   Was passt? Ordnen Sie zu.

1   Ich habe Durst.   **A**   Dann esst doch eine Banane!
2   Ich gehe einkaufen.   **B**   Dann bringt doch Schokolade mit!
3   Ich habe Hunger.   **C**   Dann trinkt doch einen Tee.
4   Wir gehen einkaufen.   **D**   Dann iss doch ein Brot!
5   Wir haben Hunger.   **E**   Dann trink doch Wasser.
6   Wir haben Durst.   **F**   Dann vergiss die Butter nicht!

5   Was ist richtig? Kreuzen Sie an und ergänzen Sie dann die Sätze.

1   .... doch ein Glas Apfelsaft.   ☐ Trink   ☐ Trinkst du

2   Bitte .... die Milch nicht.   ☐ vergesst   ☐ vergessen

3   .... doch mit nach Berlin.   ☐ Fährst du   ☐ Fahr

4   .... bitte mit.   ☐ Kommen   ☐ Kommen Sie

5   .... doch noch hier.   ☐ Bleibt   ☐ Bleiben

6   .... Sie bitte einen Moment.   ☐ Warte   ☐ Warten

6   Ergänzen Sie den Imperativ.

du	.... bitte Brot! (holen)	.... das Buch nicht! (vergessen)	.... doch einen Salat! (nehmen)
ihr	.... gut! (schlafen)	.... den Lehrer! (fragen)	.... den Text! (lesen)
Sie	.... bitte Reis! (kaufen)	.... bitte langsam! (sprechen)	.... am Vormittag! (kommen)

7   Sammeln Sie Verben aus den Lektionen 1 bis 5. Machen Sie eine Tabelle im Heft und bilden Sie Imperativ-Sätze wie im Beispiel.

Infinitiv	du!	ihr!	Sie!	Satz
kaufen	Kauf!	Kauft!	Kaufen Sie!	Kauf bitte ein Brot!
essen	Iss!	Esst!	Essen Sie!	Esst jetzt bitte!
anfangen	Fang an!	...		

8 Vorschläge für das Wochenende. Schreiben Sie die Sätze im Imperativ in der *Sie*-Form.

1 spazieren gehen *Gehen Sie doch spazieren!*

2 ein Buch lesen

3 nach Berlin fahren

4 das Straßenfest besuchen

9 Lebensmittel und Verpackungen. Ordnen Sie die Lebensmittel zu.

eine Flasche   ein Becher

ein Stück   eine Dose

eine Packung   ein Glas

10 Was kauft Herr Tolic? Schreiben Sie.

Herr Tolic kauft eine Flasche Apfelsaft, zwei Brötchen, ...

11 Was ist hier falsch? Lesen Sie den Dialog und korrigieren Sie.

- Ja, bitte?
- *Gramm*
  200 ~~Pfund~~ Wurst und ein Glas Käse, bitte.

- Gern. Noch etwas?
- Ja, eine Tafel Spaghetti und drei Tüten Joghurt.

- Ja, hier bitte.
- Und eine Packung Wasser bitte.

B   Einkaufen

12   Was kaufen Sie wo? Schreiben Sie Sätze.

> Obst und Gemüse •
> Zeitungen • Brot • Wurst •
> Schokolade • Milch

im Supermarkt

an der Tankstelle

Ich kaufe Brot im Supermarkt
und in der Bäckerei.

in der Bäckerei

auf dem Markt

13   Wer sagt was? Ordnen Sie zu.

> Danke, das ist alles. • Dann nehme ich zwei Kilo Birnen. • Das Kilo kostet 90 Cent. •
> Das macht zusammen 6,90 Euro. • Ein Kilo Tomaten, bitte. • Guten Tag, was
> möchten Sie? • Haben Sie es passend? • Haben Sie noch einen Wunsch? •
> Ich hätte gerne 3 Kilo Kartoffeln. • Möchten Sie noch etwas? •
> Nein, leider nicht. Ich habe nur 20 Euro. • Was kosten die Tomaten?

Verkäufer / Verkäuferin	Kunde / Kundin

14   Lesen Sie die Antworten und schreiben Sie Fragen.

1   ....   Ich hätte gern ein Weißbrot.

2   ....   Die Birnen kosten 2,49 €.

3   ....   Ja, noch zwei Pfund Tomaten, bitte.

15   Das Verb *möchten*. Ergänzen Sie die richtigen Endungen.

1   • Was möcht....... Sie?   • Ich möcht....... einen Tee und meine

Tochter möcht....... einen Apfelsaft.

2   • Möcht....... du Kaffee?   • Nein danke. Ich möcht....... ein Glas Milch.

3   • Möchte....... ihr Wein oder Bier?   • Danke, wir möcht....... Bier.

16 Hören Sie und korrigieren Sie die Preise.
1.59

1	**2**	**3**	**4**
0,79 €	3,79 €	0,95 €	1,14 €

17 Einkaufsdialoge. Ordnen und schreiben Sie zwei Dialoge. Kontrollieren Sie dann mit der
1.60
CD.

> Fünf Brötchen, bitte. • Ja, noch ein Bauernbrot, bitte. • ~~Ja, bitte?~~ •
> Was kosten die Birnen? • Dann nehme ich zwei Kilo Birnen und ein Pfund Tomaten •
> Haben Sie noch einen Wunsch? • ~~Guten Tag, was möchten Sie?~~ •
> Fünf Brötchen, ein Bauerbrot. Ist das alles? • Ein Kilo kostet 2,50 € • Ja, das ist alles.

Dialog 1

- *Guten Tag, was möchten Sie?*
- *Fünf*
-
-
-
-

Dialog 2

- *Ja, bitte?*
-
-
-

18 Textkaraoke. Hören, lesen und sprechen Sie die 👄-Rolle im Dialog.
1.61

👂 …

👄 300 g Hackfleisch, bitte.

👂 …

👄 Ja, ich nehme auch 5 Scheiben Schinken.

👂 …

👄 Ja, vielen Dank.

👂 …

👄 Nein, leider nicht. Ich habe nur 10 Euro.

👂 …

C   Das mag ich

19   Was mögen die Personen? Schreiben Sie Sätze wie im Beispiel.

 Simon: Schokolade

 Patricia: Cola

 Ewa und Anna: Chips

 Sebastian: Käsekuchen

1   *Simon mag Schokolade.* ....

2   ....

3   ....

4   ....

20a   Das Verb *mögen*. Ergänzen Sie die Tabelle.

	mögen		mögen
ich		wir	
du		ihr	
er/es/sie		sie/Sie	

20b   Magst du … ? Ergänzen Sie die Sätze.

1   • *Magst* du Fisch?   • Ja, ich .... Fisch.

2   • .... ihr Spaghetti?   • Ja, wir .... Spaghetti.

3   Viele Kinder .... Schokolade, aber mein Sohn .... keine Schokolade.

21   Kreuzen Sie an: *kein*, *keine*, *keinen* oder *nicht*.

1   Ich esse … gern Käse.
   A ☐ nicht
   B ☐ keinen

2   Sie mag … Äpfel
   A ☐ nicht
   B ☐ keine

3   Sie isst … Butter.
   A ☐ keine
   B ☐ nicht

4   Trinkst du … Wein?
   A ☐ keinen
   B ☐ nicht

5   Er isst … Brot.
   A ☐ nicht
   B ☐ kein

6   Sie essen … gern Orangen.
   A ☐ keine
   B ☐ nicht

22   Schreiben Sie Antworten mit *nicht* oder *kein*.

1   • Magst du Kaffee?   • *Nein,* ....

2   • Siehst du gern fern?   • *Nein,* ....

3   • Isst du gern Chips?   • *Nein,* ....

4   • Mögen Sie Bier?   • *Nein,* ....

D Essen in Deutschland

23a Was essen Herr Fechner (F), Frau Mertens (M) und Robert (R)? Hören Sie und tragen Sie ein: F, M oder R.

23b Wer isst was? Schreiben Sie Sätze wie Beispiel.

1 *Herr Fechner isst zum Frühstück ...*

   Er trinkt

2 *Frau Mertens*

3 *Robert*

24 Frühstück – Mittagessen – Abendessen. Was essen und trinken Sie? Schreiben Sie.

Frühstück: *Zum Frühstück esse ich ...*

Mittagessen:

Abendessen:

25a Schreibtraining: *ie* und *ei*. Hören Sie und lesen Sie mit.

Sind Sie verheiratet?   Wie ist Ihre Lieblingsfarbe?
Wie schreibt man „Freitag"?   Bleiben Sie lange hier?

> **!**
>
> *ie* und *ei*
> ie – Man spricht ein langes *i*.
>   Das *e* spricht man nicht.
> ei – Man spricht *ai*.

25b Hören Sie und ergänzen Sie *ie* oder *ei*.

- Gehen S........nkaufen? Dann bringen S........ doch bitte ....n ....s und ....ne Z........tung mit.

- N........n, l........der habe ich k........ne Z........t. Heute ist D........nstag, ich gehe Fußball sp........len.

26a Ein Rezept. Welche Lebensmittel braucht man? Ordnen Sie zu.

Pfannkuchen mit Zimt und Zucker

- ☐ 4 Eier
- ☐ 150g Mehl
- ☐ Salz
- ☐ ¼ Liter Milch
- ☐ 2 Teelöffel Butter und Butter für die Bratpfanne
- ☐ 4 Esslöffel Zucker
- ☐ etwas Zimt

26b Wie macht man Pfannkuchen? Ordnen Sie die Arbeitsschritte zu.

1 Das Mehl, die Eier, die Milch und das Salz in eine Schüssel geben und alles mischen. • **2** Den Pfannkuchen wenden und ihn noch einmal 1 bis 2 Minuten braten. • **3** Die Butter in der Bratpfanne erhitzen. • **4** Den Pfannkuchen mit Zimt und Zucker servieren. • **5** Zimt und Zucker mischen. • **6** Etwas Teig in die Pfanne geben und ihn 2 bis 3 Minuten braten.

26c Machen Sie Pfannkuchen! Schreiben Sie die Sätze aus 26b im Imperativ.

A *Geben Sie das Mehl, die Eier, die Milch und das Salz in eine Schüssel und ...*

B ....

C ....

D ....

E ....

F ....

Guten Appetit ....

der Apfel, "- ....

die Banane, -n ....

das Brot, -e ....

die Butter, Sg. ....

das Hähnchen, - ....

die Kartoffel, -n ....

der Käse, Sg. ....

die Milch, Sg. ....

die Nudeln, Pl. ....

der Reis, Sg. ....

der Salat, -e ....

der Tee, Sg. ....

der Fisch, -e ....

die Tomate, -n ....

das Wasser, Sg. ....

der Wein, -e ....

die Wurst, "-e ....

essen ....

trinken ....

täglich ....

oft ....

manchmal ....

selten ....

nie ....

A Der Einkaufszettel

das Ei, -er ....

der Zucker, Sg. ....

die Orange, -n ....

die Spaghetti, Pl. ....

das Brötchen, - ....

das Getränk, -e ....

das Bier, -e ....

der Apfelsaft, "-e ....

bitte ....

doch ....

vergessen ....

holen ....

warten ....

der Hunger, Sg. ....

Ich habe Hunger. ....

der Durst, Sg. ....

Ich habe Durst. ....

probieren ....

die Packung, -en ....

die Dose, -n ....

das Glas, "-er ....

der Becher, - ....

die Tüte, -n ....

der Kasten, "- ....

das Stück, Sg. ....

die Tafel Schokolade ....

die Scheibe, -n ....

das Gramm, Sg. ....

das Kilo/Kilogramm, Sg. ....

das Pfund, Sg. ....

der Liter, Sg. ....

B Einkaufen

das O̱bst, Sg. ....

das Gemüse, Sg. ....

der Ku̱nde, -n ....

die Ku̱ndin, -nen ....

der Pre̱is, -e ....

der Ma̱rkt, "-e ....

die Metzgere̱i, en ....

die Bä̱ckere̱i, -en ....

Ich hätte gern … ....

Haben Sie noch
einen Wunsch? ....

pa̱ssend ....

beko̱mmen ....

zurück ....

möchten ....

C Das mag ich

mögen ....

D Essen in Deutschland

das Frühstück ....

das Mi̱ttagessen ....

das A̱bendessen ....

frühstücken ....

....

....

....

1 **Welches Wort passt nicht? Streichen Sie.**

1 Frühstück – Abendessen – Vormittag – Mittagessen
2 Tomate – Butter – Käse – Milch
3 Apfel – Orange – Banane – Wurst
4 Hähnchen – Fisch – Schinken – Salami
5 Tee – Fleisch – Wein – Wasser

Lerntipp
Lernen Sie neue Wörter in Gruppen.
Sammeln Sie Wörter zu einem
Thema, z. B. *Obst, Gemüse,
Getränke, Verpackungen* usw.
Schreiben Sie die Wörter in Gruppen
in Ihr Vokabelheft.

2 **Einkaufsgespräche. Notieren Sie wichtige Sätze auf Karten.**

Verkäufer/Verkäuferin:
Guten Tag,
was möchten Sie?

Kunde/Kundin:
Ich hätte gern …

3 **Wörter hören und nachsprechen. Hören Sie zu und sprechen Sie nach.**
1.65

1 das Obst – die Banane – der Apfel
2 das Gemüse – die Tomate – der Salat
3 die Bäckerei – das Brot – das Brötchen – der Kuchen

1

....

2

....

3

....

4

der **Blumenkohl**, Sg.

9

....

10

die **Erdbeere**, -n

11

....

12

....

17

die **Margarine**, Sg.

18

....

19

das **Mehl**, Sg.

20

....

25

....

26

das **Salz**, Sg.

27

....

28

....

4 Ergänzen Sie die Wörter mit Artikel und Plural. Manchmal gibt es keinen Plural.

🔊 **5** Hören Sie die neuen Wörter und sprechen Sie nach.
1.66

🔊 **6a** Hören Sie die Dialoge. Was mögen die Leute, was mögen sie nicht? Ergänzen Sie.
1.67

Ewa findet .... furchtbar.

Erik mag ....

Maria trinkt keinen ....

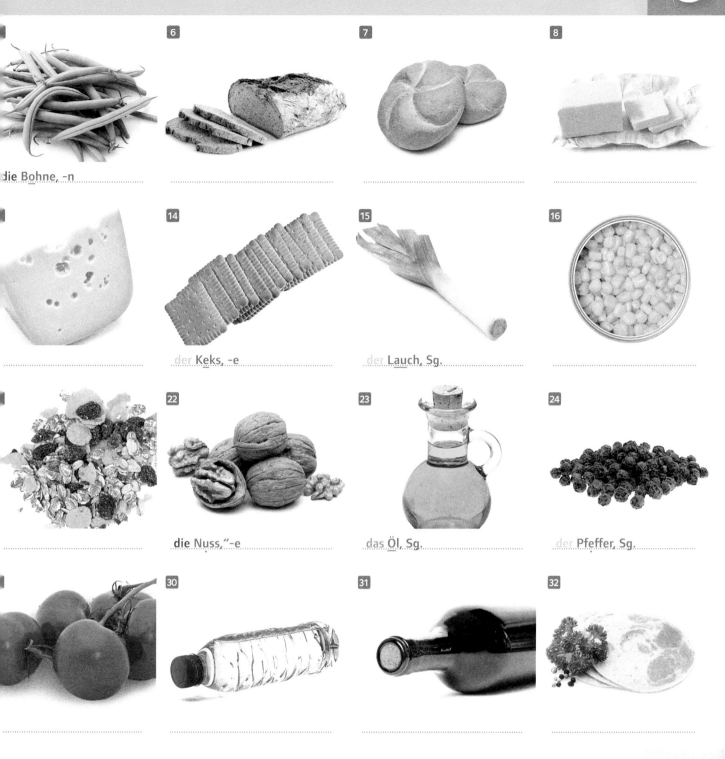

6	**7**	**8**

die Bohne, -n

der Keks, -e   der Lauch, Sg.

die Nuss, "-e   das Öl, Sg.   der Pfeffer, Sg.

6b Was passt zusammen? Erfinden Sie weitere
Kombinationen.

Brot mit Wurst und Käse.

6c Fragen Sie Ihren Partner/Ihre Partnerin.

Isst du gern ...?

Das passt sehr gut zusammen.

Das schmeckt super.

Das finde ich schrecklich.

7 Arbeit und Beruf

1 Berufe. Ordnen Sie zu.

1 der Ingenieur
2 die Bankkauffrau
3 der Programmierer
4 der Kfz-Mechaniker
5 die Kellnerin

2 Wer arbeitet wo? Ergänzen Sie.

1 *Der Programmierer arbeitet* .... im Büro.

2 .... im Restaurant.

3 .... in der Werkstatt.

4 .... auf der Baustelle.

5 .... in der Bank.

A Das muss ich machen

3 Wer macht was? Ergänzen Sie die Sätze.

> Kaffee und Kuchen bringen • Anmeldungen annehmen • ~~Operationen vorbereiten~~ •
> Autos reparieren • die Post bringen

1 Der Krankenpfleger *bereitet Operationen vor.* ....

2 Die Sekretärin ....

3 Der Kfz-Mechaniker ....

4 Die Briefträgerin ....

5 Die Kellnerin ....

4 Chaos bei den Verben. Im Text sind sechs Fehler. Korrigieren Sie den Text.

>   *arbeitet*
> Martina Wagner ~~bleibt~~ bei der Volksbank. Sie kontrolliert die Kunden und
>
> berät die Kasse. Sie muss auch Geld helfen und bei Problemen
>
> mit Überweisungen arbeiten. Oft muss sie auch länger wechseln.

5 Die Modalverben *können*, *müssen* und *wollen*. Ergänzen Sie die Tabelle.

	können	müssen	wollen
ich			
du			
er/es/sie/man			
wir			
ihr			
sie/Sie			

6 Im Deutschkurs. Ergänzen Sie das Verb *können*.

1 .... Sie bitte das Wort buchstabieren?

2 .... du bitte langsam sprechen? Wir .... dich nicht verstehen.

3 ● Tim .... schon sehr gut Deutsch sprechen.

   ● Ja, und er .... auch Französisch.

4 .... ihr das bitte an die Tafel schreiben?

5 ● Und die Hausaufgabe bis morgen ist …

   ● Ich .... heute keine Hausaufgaben machen. Ich muss arbeiten.

7 Was müssen die Personen machen? Ergänzen Sie das Verb *müssen*.

1 Er arbeitet als Reinigungskraft. Er .... im Schichtdienst arbeiten.

2 Sie sind Studenten. Sie .... viel lernen.

3 Sie ist Bankkauffrau. Sie .... Formulare bearbeiten.

4 Sergej und ich sind Taxifahrer. Wir .... viel Auto fahren.

8 Was wollen wir heute machen? Schreiben Sie Sätze mit dem Verb *wollen*.

1 ich – heute – fernsehen   *Ich will …*

2 wir – Fußball – heute – spielen   ....

3 Monika – zu Hause – Musik hören   ....

4 ihr – ins Kino – gehen?   ....

5 du – einen Tanzkurs – machen?   ....

6 Sie – etwas – trinken?   ....

9 *Wollen* oder *müssen*? Ergänzen Sie die Verben.

1 .... Sie Kaffee und Kuchen haben?

Nein danke, jetzt nicht. Ich .... zum Chef gehen.

2 Warum .... du schon gehen?

Ich .... noch meine Wohnung aufräumen. Morgen .... meine Eltern kommen.

3 Du .... jetzt Hausaufgaben machen.

Aber ich .... spielen.

4 .... Sie morgen früh aufstehen?

Ja, um sieben. Ich .... vor der Arbeit noch zur Bank gehen.

10 *Können* oder *müssen*? Schreiben Sie Sätze.

1 Frau Schumann ist Briefträgerin. (früh aufstehen / schon am Mittag nach Hause gehen)

Sie muss früh aufstehen, aber sie kann ...

2 Herr Groß ist Kellner. (auch in der Nacht arbeiten / am Vormittag lange schlafen)

....

3 Herr Umlandt ist Deutschlehrer. (viel erklären / auch viel von den Schülern lernen)

....

4 Frau Disdorn ist Sekretärin. (viel im Büro sitzen / bei der Arbeit Kaffee trinken)

....

5 Herr Lehmann ist Buchhalter. (heute bis 22 Uhr arbeiten / morgen schon um 15 Uhr nach Hause gehen.

....

🔊 1.68 11 *Müssen, können* oder *wollen?* Ergänzen Sie und kontrollieren Sie dann mit der CD.

1 • .... ich bitte ein Eis haben?

  • Ja, aber zuerst .... du dein Zimmer aufräumen.

2 • .... du einen Kaffee?

  • Ja, ... ich bitte auch Milch haben?

  • Hier. .... du auch Zucker?

  • Nein danke.

3 • .... Sie Italienisch sprechen?

  • Nein, aber ich .... einen Sprachkurs machen. Und Sie?

  .... Sie Italienisch?

  • Ein bisschen, ich .... noch viel lernen.

12 Was passt? Ordnen Sie zu.

1 Ich will viel Geld   **A** reisen.

2 Ich will Karriere   **B** machen.

3 Ich will oft   **C** arbeiten.

4 Ich will im Team   **D** verdienen.

Geld   Karriere

🔊 1.69 13a Welche Berufe haben die Leute? Hören Sie und schreiben Sie.

1 Zladka Radoyska   2 Per Kujat   3 Franka Stein

....

🔊 1.69 13b Hören Sie noch einmal und kreuzen Sie an: Richtig oder falsch?

	R	F
1 Zladka Radoyska muss um 19 Uhr im Restaurant sein.	☐	☐
2 Sie arbeitet auch am Wochenende.	☐	☐
3 Per Kujat verdient gut.	☐	☐
4 Seine Arbeit ist ruhig.	☐	☐
5 Franka Stein arbeitet gern draußen.	☐	☐
6 Franka Stein kann manchmal nicht alles lesen.	☐	☐

14 Schreiben Sie die Sätze mit *nicht*.

1 Sie will mit den Händen arbeiten.   *Sie will nicht mit den Händen arbeiten.*

2 Wir können am Vormittag arbeiten.   ....

3 Ich will alleine arbeiten.   ....

4 Er muss viel reisen.   ....

5 Sie muss früh aufstehen.   ....

15 Was müssen, können, wollen Sie bei Ihrer Arbeit machen? Schreiben Sie drei Sätze.

....

....

....

B   Rund ums Geld

16 Bei der Bank. Lesen Sie die Sätze und ergänzen Sie die Wörter.

1 Ich will Geld an den Fußballverein _b_rw_ _sen, aber ich habe keine B_nkv_rb_ndung.

2 Herr Beeger möchte seinen Mitgliedsb_ _tr_g bezahlen.

3 Ich habe bei der Bank ein K_nt_. Meine K_nt_n_mm_r ist 2540004.

4 Der G_ld_ _t_m_t ist kaputt.

5 Was sind die G_b_hr_n für den Abendkurs?

17a Bei Familie Kuhn. Hören Sie den Dialog und kreuzen Sie an: Richtig oder falsch?
1.70

	R	F
1 Stephanie geht einkaufen.	☐	☐
2 Thomas will Geld überweisen.	☐	☐
3 Die KITA hat bei der Regiobank in Potsdam ein Konto.	☐	☐
4 Thomas hat kein Überweisungsformular.	☐	☐

17b Hören Sie den Dialog weiter. Ergänzen Sie das Überweisungsformular.
1.71

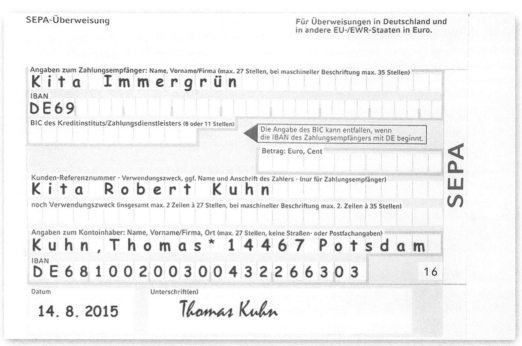

C   Ein Tag im Leben von Maria Stein

18   Was macht Frau Müller? Ordnen Sie die Sätze zu.

> Sie ist beim Friseur. • Sie geht zur Arbeit. • Sie kommt zurück nach Hause. •
> Sie geht zum Friseur. • Sie ist bei der Arbeit. • Sie ist zu Hause.

....

....

19   Welche Präposition passt? Ergänzen Sie und kontrollieren Sie dann mit der CD.

1.72

> aus • bei • zu • zum • mit • nach • vom • vor

Der Samstag ....¹ **Familie Kern.**

Frau Kern räumt ....² den Kindern das Wohnzimmer auf. Herr Kern geht

................³ Supermarkt und kauft ein. Um elf Uhr kommt Herr Kern ....⁴ Super-

markt zurück. ....⁵ dem Mittagessen kochen Herr und Frau Kern zusammen.

Am Nachmittag, ...⁶ dem Mittagessen schlafen Herr und Frau Kern eine Stunde.

Dann gehen sie ....⁷ Freunden. Die Freunde kommen ....⁸ der Türkei. Um 20

Uhr gehen sie wieder nach Hause.

20   Ergänzen Sie den bestimmten und unbestimmten Artikel im Dativ.

1 mit _dem_ / mit _einem_ Mann   **3** mit .... Kind / mit .... Kind.

2 mit .... / mit .... Frau   **4** mit .... / mit _—_ Menschen

21 Lesen Sie die Dialoge und ergänzen Sie die Artikel im Dativ.

1 ● Was machst du nach d....... Schule? ● Ich fahre zu ein....... Freund.

2 ● Und vor d....... Schule? ● Ich mach meine Hausaufgaben.

3 ● Ich bin von d....... Arbeit zurück, aber ich habe noch einen Termin mit ein....... Kollegen.

4 ● Warst du schon bei....... Arzt? ● Nein, ich gehe nach d....... Mittagessen.

22 Wo? Woher? Wohin? Schreiben Sie Antworten.

Wo ist Susanne?

Beim Chef.
(der Chef)

Wohin geht Mika?

....
(die Großeltern)

Wo sind die Kinder?

....
(die Freunde)

Woher kommt Florin?

....
(das Reisebüro)

Wohin geht Sabrina?

....
(eine Freundin)

Woher kommt Oleksander?

....
(ein Freund)

23 Ergänzen Sie *Wo* oder *Wohin*.

1 ● .... waren Sie gestern? ● In Berlin.

2 ● Und .... fahren Sie jetzt? ● Nach Italien.

3 ● .... bist du und .... gehst du? ● Zu Hause und später gehe ich ins Kino.

24 Schreibtraining. Schreiben Sie die Sätze richtig.

Fehler +++ Fehler +++ Fehler

1 siewollendiewohnungaufräumenunddannzummarktgehen

....

2 erkannenglischsprechenundjetztwillerspanischlernen

....

3 eristingenieurvonberufabererarbeitetjetztalsbriefträger

....

25a Beruf: Programmiererin. Sortieren Sie die Textteile.

A ☐ 1 Ilona Busch ist Programmiererin. Sie arbeitet bei einer

B ☐ bis spät abends arbeiten. Sie schreibt

C ☐ Computerprogramme. Die Firma hat viele

D ☐ Computerfirma. Sie beginnt morgens um neun Uhr. Sie muss oft

E ☐ Kunden und Ilona Busch hat oft viel Stress.

25b Beruf: Taxifahrer. Schreiben Sie mit den Stichwörtern einen Text.

> Martin Rösch • Taxifahrer • in Duisburg wohnen und arbeiten •
> in der Nacht und am Wochenende arbeiten • in der Nacht gern fahren

....

....

....

26a Lesen Sie die Stellenanzeigen und ordnen Sie die Berufe zu.

> Taxifahrer • Sekretärin • Programmiererin • Programmierer • Arzt • Ärztin

Stellenmarkt

1 Wir suchen einen .... /

eine ....
Arbeitszeit: Montag, Mittwoch, Donnerstag
8.00-12.30 Uhr
Kinderarztpraxis Mathiopoulos
Bismarckstraße 76, 37085 Göttingen
Tel.: 0551 / 67788

2 Gesucht: .... (m/w)
für Nacht- und Wochenendfahrten.
Reisedienst Schmidt.
Gartenstraße 12 79312 Emmendingen
Tel.: 07641 / 155 355

3 ABC-Software sucht

eine .... /

einen ....
Sie schreiben Computerprogramme,
reparieren Computer und beraten Kunden.
Vollzeit, flexible Arbeitszeiten, Bewerbungen
per E-Mail an: s.krebs@abc-software.de

4 Telefonieren Sie gern? Arbeiten Sie gern mit
dem Computer? Wir suchen eine

.... (m/w).
Sie arbeiten von Montag bis Freitag
vormittags oder nachmittags.
Bankhaus Jonas – Hauptstraße 43
26721 Emden · Tel.: 04921 51 32 0
info@bankhaus-jonas.de

26b Lesen Sie die Stellenanzeigen noch einmal und machen Sie Notizen in Ihrem Heft.

Anzeige 1:
Beruf ...
Firma ...
Adresse ...
Telefon/E-Mail ...
Arbeitszeit ...

Anzeige 2:
...

Anzeige 3:
...

Anzeige 4:
...

der Bankkaufmann,
die Bankkauffrau,
Pl: Bankkaufleute ....

der/die Altenpfleger/in,
-/-nen ....

der/die Kellner/in,
-/-nen ....

der/die Kfz-Mechaniker/
in,-/-nen ....

die Reinigungskraft, "-e ....

der/die Taxifahrer/in,
 -/-nen ....

der/die Briefträger/in,
-/-nen ....

der Koch, "-e ....

die Köchin, -nen ....

die Baustelle, -n ....

die Werkstatt, "-en ....

die Bank, -en ....

das Restaurant, -s ....

das Büro, -s ....

A Das muss ich machen

der/die Kranken-
pfleger/in, -/-nen ....

die Krankenschwester, -n ....

der Schichtdienst, -e ....

das Krankenhaus, "-er ....

müssen ....

können ....

wollen ....

das Geld, Sg. ....

verdienen ....

wechseln ....

beraten ....

helfen ....

die Überweisung, -en ....

kontrollieren ....

die Kasse, -n ....

das Formular, -e ....

unterschreiben ....

der/die Sekretär/in,
-e/-nen ....

die Arbeitszeit, -en ....

anstrengend ....

das Team, -s ....

allein, alleine ....

reisen ....

die Karriere, Sg. ....

draußen ....

drinnen ....

B Rund ums Geld

der Geldautomat, -en ....

die EC-Karte, -n ....

die Kontonummer, -n ....

der Kontoauszug, "-e ....

die IBAN ....

die Gebühr, -en ....

überweisen ....

die Bankverbindung, -en ....

C Ein Tag im Leben von Maria Stein

aus ....

bei ....

nach ....

von ....

zu ....

bedienen ....

die Mittagspause, -n ....

der Kollege, -n ....

die Kollegin, -nen ....

der Termin, -e ....

der/die Chef/in, -s/-nen ....

der Kindergarten, "- ....

die Haltestelle, -n ....

1 Mit der Wortliste arbeiten. Nomen maskulin, feminin, Plural. Schreiben Sie wie im Beispiel.

1 der/die Chef/in, -s/-nen *der Chef, die Chefin, die Chefs, die Chefinnen*

2 der/die Taxifahrer/in, -/-nen ....

3 die Reinigungskraft, die "-e ....

2 Sammeln Sie Wörter zum Thema Arbeit.

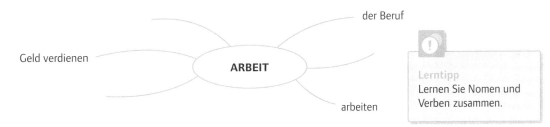

der Beruf

Geld verdienen

ARBEIT

arbeiten

!

Lerntipp
Lernen Sie Nomen und
Verben zusammen.

3 Was passt? Ordnen Sie zu.

verdienen • wechseln • beraten • überweisen • bedienen • unterschreiben

1 Kunden ....

2 Geld ....

3 ein Formular ....

4 Wörter hören und nachsprechen. Hören Sie zu und sprechen Sie nach.
🔊 1.73

1 der Krankenpfleger – die Reinigungskraft – die Köchin

2 die IBAN – die Kontonummer – die Bankverbindung

3 Geld überweisen – Geld wechseln – Geld verdienen

der Gärtner

die Hotelfachfrau

5   Ergänzen Sie die Wörter mit Artikel.

6   Hören Sie die Wörter und sprechen Sie nach.
1.74

7a   Wer arbeitet wo? Ordnen Sie die Berufe den Orten auf Seite 89 zu.

7b   Schreiben Sie Sätze wie im Beispiel und kontrollieren Sie dann mit der CD.
1.75

> Die Verkäuferin arbeitet im Kaufhaus.
> Der Gärtner ...

7c   Hören Sie noch einmal und sprechen Sie nach.
1.75

im Friseursalon

im Hotel

im Krankenhaus

im Kaufhaus

in der Schule

in der Gärtnerei

im Altersheim

im Büro

in der Werkstatt

8a Wer macht was? Schreiben Sie Sätze.

> ~~Patienten behandeln~~ • Kunden bedienen • Möbel machen •
> Termine planen • Gärten pflegen • Zimmer reservieren •
> alte Menschen betreuen • Haare schneiden • Schüler unterrichten

1 Ein Arzt *behandelt Patienten.*

2 Eine Lehrerin

3 Ein Verkäufer

4 Ein Friseur

5 Eine Hotelfachfrau

6 Ein Altenpfleger

7 Ein Gärtner

8 Eine Sekretärin

9 Ein Tischler

8b Hören Sie, kontrollieren Sie dann mit der CD und sprechen Sie nach.
1.76

Station 2

1 Lesen Sie und ergänzen Sie in A–I.

✓ ✗ **Ich kann auf Deutsch**

☐ ☐ **A** über Hobbys sprechen.

> spiele • gerne • Hobby • findest • jogge • höre • spiele

- Was ist dein ....?
- Ich .... gerne Schach. Und du?
- Ich .... gerne und .... gerne Musik.
- Wie .... du Fußball?
- Ich .... nicht gerne Fußball, aber ich sehe .... Fußball.

☐ ☐ **B** Zeitangaben verstehen.

Es ist ....

....

....

☐ ☐ **C** Termine machen und mich verabreden.

- Wann gehen wir ins Kino?
- .... Freitag oder .... Samstag.
- .... Freitag geht es. Und um wie viel ....?
- Um sechs ....
- Geht es auch .... halb neun?
- Ja, das geht auch. Dann .... Freitag.

Freitag

Kino 20.30 Uhr!

7

Samstag

8

☐ ☐ **D** sagen, was ich jeden Tag mache.

> treffe • fängt ... an • gehen • machst • Vormittag

- Was .... du morgen?
- Am .... habe ich meinen Deutschkurs. Er .... um neun Uhr ....
- Und am Nachmittag?
- Da .... ich meine Freunde. Wir .... essen.

E   sagen, was ich gerne esse und trinke.   ☐   ☐

Was essen Sie gerne? ....

Was trinken Sie gerne? ....

Was essen und trinken Sie nicht so gerne? ....

....

F   Einkaufsdialoge führen.   ☐   ☐

- Guten Tag, ich .... ein Kilo Tomaten.
- Darf es noch etwas sein?

- Wie viel .... die Äpfel?
- 2,90 Euro das Kilo.

- Dann .... ich sechs Stück.

G   über meine Arbeit sprechen.   ☐   ☐

Ich bin .... von Beruf und arbeite bei .... Ich finde meine Arbeit

.... Ich arbeite von .... Uhr bis .... Uhr.

H   sagen, was ich im Beruf oder bei der Arbeit (nicht) kann oder (nicht) will.   ☐   ☐

> im Team arbeiten • Karriere machen • am Wochenende arbeiten •
> am Computer arbeiten • ...

Ich kann ....

Ich kann nicht ....

Ich will ....

Ich will nicht ....

I   sagen, wo ich bin und wohin ich gehe.   ☐   ☐

- Woher kommst du?

- .... Friseur. Und du, wo warst du?

- Ich war .... Arzt. Ich muss jetzt noch .... Bank gehen und Geld holen.

2   Kontrollieren Sie mit den Lösungen und markieren Sie ✓ für *kann ich* und ✗ für *kann ich nicht so gut.*

8 Gute Besserung!

1 **Beim Arzt. Ordnen Sie die Wörter den Fotos zu.**

> Kinderärztin • Zahnärztin • Augenärztin • Hausärztin

....

2 **Wann hat der Arzt Sprechzeiten? Lesen Sie das Praxisschild und ergänzen Sie die Sätze.**

> Am • am • am • am • nach •
> geschlossen • von … bis • von … bis

Der Augenarzt hat .... Montag-

und Dienstagvormittag 8

.... 12 Uhr Sprechzeit. Er hat

.... Montag- und Donnerstag-

nachmittag 14 18

Uhr Sprechzeit. Er hat .... Freitag Sprechzeit .... Vereinbarung.

.... Mittwoch ist die Praxis ....

3 **Was passt? Ordnen Sie zu und schreiben Sie dann Tipps.**

> nicht so viel essen • zum Augenarzt gehen •
> Milch mit Honig trinken • zum Zahnarzt gehen • Sport machen

- Ich habe Zahnschmerzen.
- Ich sehe schlecht.
- Ich habe Halsschmerzen.
- Ich habe Bauchschmerzen.
- Ich habe Rückenschmerzen.

- *Dann geh doch* ....
- ....
- ....
- ....
- ....

A   Ein Besuch beim Arzt

🔊 2.02 **4**   Einen Termin machen. Ergänzen Sie den Dialog und kontrollieren Sie dann mit der CD.

> Ionesco • Guten Tag, mein Name ist Ionesco. Ich brauche einen Termin. •
> Ja, morgen Vormittag habe ich Zeit. • I O N E S C O • Vielen Dank, auf Wiederhören.

○ Praxis Dr. Wenke. Guten Tag.

○ ....

○ Einen Moment, bitte. Morgen Vormittag um elf Uhr. Geht das?

○ ....

○ Sagen Sie doch bitte noch einmal Ihren Namen.

○ ....

○ Wie schreibt man das?

○ ....

○ Gut, Frau Ionesco, bis morgen um elf Uhr.

○ ....

🔊 2.03 **5**   Einen Termin am Telefon machen. Hören Sie und kreuzen Sie an: Was ist richtig?

1 Wann ist der Termin?
  A ☐ Um Viertel vor fünf.
  B ☐ Um Viertel vor sechs.
  C ☐ Um Viertel vor sieben.

2 Wann ist die Praxis geöffnet?
  A ☐ Am Dienstagnachmittag.
  B ☐ Am Donnerstagnachmittag.
  C ☐ Am Freitagnachmittag.

6   Körperteile. Was sehen Sie auf den Fotos? Schreiben Sie Sätze wie im Beispiel.

> das Haar, -e • der Rücken, - • das Auge, -n • die Nase, -n • der Arm, -e •
> das Bein, -e • die Hand, "-e • der Kopf, "-e • der Fuß, "-e • der Finger, -

1  **2**  **3**  **4**

Auf Foto 1 sehe ich zwei Augen, einen Arm, ...

7 Im Sprechzimmer. Wer sagt was? Ordnen Sie zu.

> Was fehlt Ihnen denn? • Vielleicht haben Sie eine Grippe. • Mir geht es nicht gut. •
> Machen Sie bitte den Mund auf. • Ich habe Fieber. • Sie müssen noch einmal zur
> Kontrolle kommen. • Mein Rücken tut weh. • Ich habe eine Erkältung.

Arzt/Ärztin: ...	Patient/in: ...

8 Was tut weh? Schreiben Sie Sätze wie im Beispiel.

    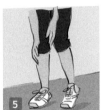

Seine Zähne ....

tun weh. ....

9 Herr Pirellli berichtet seiner Frau. Schreiben Sie die Sätze wie im Beispiel.

1 Ich – viel Tee – soll – trinken   3 bleiben – Ich – eine Woche zu Hause – soll

2 viel Obst – soll – essen – Ich   4 Ich – Halstabletten – soll – nehmen

1 *Ich* .... *soll* .... *viel Tee* .... *trinken.* ....

2 ....

3 ....

4 ....

10 Ihre Freundin versteht den Arzt nicht. Schreiben Sie Sätze wie im Beispiel.

> *Bitte arbeiten Sie nicht so viel.*

> *Was sagt der Arzt?*

> *Er sagt, du sollst nicht so viel arbeiten.*

1 **Arzt:** Bleiben Sie bitte im Bett.   *Er sagt, du* ....

2 **Ärztin:** Machen Sie Gymnastik.   *Sie sagt, ...* ....

3 **Ärztin:** Bitte essen Sie wenig Fleisch.   *Sie sagt, ...* ....

4 **Arzt:** Nehmen Sie keine Tabletten.   *Er sagt, ...* ....

B Gesundheit in Deutschland

11 Was ist das? Ergänzen Sie das Kreuzworträtsel. Die Erklärungen auf Seite 86 im Kursbuch helfen.

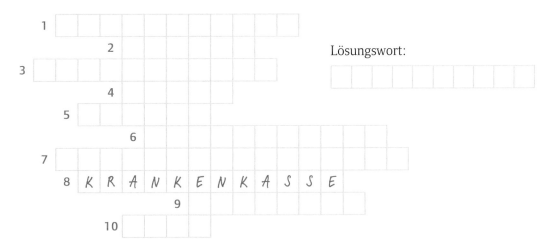

Lösungswort:

1 Wer bekommt die Krankschreibung? Der … und die Krankenkasse.
2 Was brauchen Sie für viele Medikamente? Ein … vom Arzt.
3 Was brauchen Sie für den Facharzt oder das Krankenhaus? Eine …
4 Was geben die Krankenkassen für die regelmäßige Zahnkontrolle? Einen …
5 Sie können meistens nicht direkt zum Arzt gehen. Sie müssen erst einen … machen.
6 Was können Sie in einer Apotheke kaufen? Die …
7 Was brauchen Sie für den Besuch beim Arzt? Ihre …
8 Einige Medikamente müssen Sie selbst bezahlen. Andere bezahlt die …
9 Wo können Sie einen Arzt finden? Im Telefonbuch oder im …
10 Wer gibt Ihnen die Krankschreibung? Der …

C Mein Kind ist krank

Mit • Münster • Sohn • Grüßen • Robert Heinlein • 5.12.2015 • kann • kommen • entschuldigen • hat • Sehr

12a Ergänzen Sie die Entschuldigung für die Schule.

..........................., ...

.... geehrter Herr Möller,

unser .... Max .... heute leider nicht zum Unterricht ....

Er .... eine Erkältung.
Bitte .... Sie das Fehlen von Max.

.... freundlichen ....

....

12b Eine Entschuldigung schreiben. Ordnen Sie die Textteile.

☐ Mit freundlichen Grüßen
☐ Sehr geehrte Frau Jablonsky,
☐ Bitte entschuldigen Sie das Fehlen von Sarafina.

☐ Berlin, 3.3.2015
☐ M. Fischer
☐ Sarafina ist heute leider krank und kann nicht zur Schule kommen. Sie hat Fieber.

12c Schreiben Sie eine Entschuldigung in Ihr Heft.

Ihr Sohn Sebastian hat Kopfschmerzen. Sein Lehrer heißt Jakob Walz.

13 Mein Kind ist krank. Was passt zusammen? Ergänzen Sie die Verben.

> messen • vorlesen • geben • kochen • schreiben • anrufen

1 ☐ Fieber ....
2 ☐ Tee ....
3 ☐ Medikamente ....

4 ☐ ein Buch ....
5 ☐ den Arzt ....
6 ☐ eine Entschuldigung ....

🔊 2.04 **14** Frau Popescu erzählt. Was macht sie? Hören Sie und kreuzen Sie in 13 an.

15 Ihre Tochter/Ihr Sohn ist krank. Was machen Sie? Schreiben Sie Sätze.

....

....

D Im Krankenhaus

16 Personalpronomen im Akkusativ. Ergänzen Sie.

	Der Arzt untersucht		Der Arzt untersucht
Ich bin krank.	*mich*	Wir sind krank.	....
Du bist krank.	....	Ihr seid krank.	....
Der Mann ist krank.	....	Die Kinder sind krank.	....
Das Baby ist krank.	....	Sind Sie auch krank?	....
Die Frau ist krank.	....		

17 Formell oder informell? Was ist falsch? Streichen Sie.

1 Hallo, Ela, soll ich Sie | dich morgen abholen?
2 Frau und Herr Sauter, soll ich Sie | euch morgen anrufen?
3 Bitte sprecht etwas lauter. Ich kann Sie | euch nicht verstehen.

18 Brauchst du …? Ergänzen Sie die Personalpronomen im Akkusativ.

Frau Stein ruft Herrn Stein im Krankenhaus an und fragt:

1 • Brauchst du deine Uhr? • Ja, ich brauche *sie.*

2 • Brauchst du deine Brille? • Ja, du findest .... in meiner Tasche.

3 • Brauchst du deinen Laptop? • Nein, ich brauche .... nicht.

4 • Soll ich deine Bücher mitbringen? • Ja, ich möchte .... gerne lesen.

5 • Soll ich deinen Vater anrufen? • Nein, ich rufe .... morgen an.

19 Ergänzen Sie die Personalpronomen im Akkusativ.

1 Ihr seid in Deutschland. Das ist toll. Bitte besucht .... doch mal. (wir)

2 Wo ist Robert? Siehst du ....? (er)

3 Leider habe ich jetzt keine Zeit. Kann ich .... morgen anrufen? (du)

4 Es ist schon spät. Ich fahre .... nach Hause. (ihr)

5 Lukas und Marie sind bei Onkel Hans. Holst du .... ab? (sie)

6 • Holen Sie .... ab? (ich) • Ja, ich hole .... gleich ab. (Sie)

7 • Kennst du das Kind von den Nachbarn? • Nein, ich kenne .... nicht. (es)

20 Herr Blum ist krank. Schreiben Sie eine kleine Geschichte. Die Wörter helfen.

> Halsschmerzen haben • besuchen • Tee trinken • untersuchen •
> Medikamente in der Apotheke holen • im Bett bleiben • zum Arzt gehen

Herr Blum ist krank. Er hat …

....

....

....

....

E 112 – Der Notruf

◀)) 2.05 21 Ergänzen Sie die Wörter und kontrollieren Sie dann mit der CD.

> Wo • Wie • Wann • Wie viele • Wie

1 • .... ist der Unfall? • In der Elbestraße, Hausnummer 27.

2 • .... heißen Sie? • Raman, Abdul Raman.

3 • .... Personen sind verletzt? • Ich glaube, drei.

4 • .... sind die Personen verletzt? • Ich weiß es nicht genau.

5 • .... kommt der Notarzt? • In fünf Minuten ist er da.

◀)) 2.06 22 Ein Unfall. Ergänzen Sie den Dialog. Kontrollieren Sie dann mit der CD.

> dringend • erklären • Notarzt • Unfall • verletzt • verletzt • warten

• Mein Name ist Carter. Hier gibt es einen ....

• Wo sind Sie?

• Ich bin in der Dreikönigstraße, vor der Post.

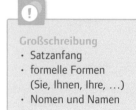

• Wie viele Personen sind ....?

• Zwei: Ein Mann und eine Frau.

• Wie sind die Personen ....?

• Ich kann es nicht genau .... Bitte kommen Sie schnell.

    Es ist ....

• Ja, ich schicke den .... Er kommt in wenigen Minuten.

    Bitte .... Sie. Sagen Sie bitte noch einmal Ihren Namen.

23 Schreibtraining. Briefe korrekt schreiben. Groß oder klein? Ergänzen Sie die Buchstaben.

> .....erlin, 20.07.2015
>
> .....ehr .....eehrter .....err .....chmidt,
>
> mein .....ohn Erkan ist leider .....rank. .....r hat .....alsschmerzen
> und kann nicht zur Schule .....ommen. .....itte entschuldigen
> .....ie das Fehlen von .....rkan.
>
> .....it .....reundlichen .....rüßen
>
> Sevilay Ogur

> **!**
>
> Großschreibung
> • Satzanfang
> • formelle Formen
>   (Sie, Ihnen, Ihre, ...)
> • Nomen und Namen

24a Lesen Sie den Zeitungsartikel. Unterstreichen Sie alles, was Sie verstehen.

Gesundheitsmagazin 14

Gesund essen – fit bleiben

Fertigpizza, Hamburger, Chips, Süßigkeiten und süße Getränke machen uns dick und häufig auch krank. In Deutschland haben über 60 % der Männer und 50 % der Frauen zu viel Gewicht. Auch 15 % der Kinder sind schon zu dick.

Was kann man tun?

Jeder und jede kann selbst etwas machen. Die Ärzte empfehlen, gesund zu essen und regelmäßig Sport zu treiben.
Jeden Tag fünf Portionen Obst und Gemüse essen, wenig Fleisch und Süßigkeiten essen und viel Bewegung halten fit – bis ins hohe Alter. Und natürlich soll man nicht rauchen und nicht viel Alkohol trinken.

24b Suchen Sie drei unbekannte Wörter im Wörterbuch und schreiben Sie sie auf Karten.

24c Lesen Sie den Text noch einmal. Kreuzen Sie an: Richtig oder falsch?

		R	F
1	In Deutschland sind 15 % der Menschen zu dick.	☐	☐
2	Die Ärzte sagen, man soll wenig essen.	☐	☐
3	Die Ärzte sagen, man soll Sport machen.	☐	☐
4	Die Ärzte sagen, man soll nicht rauchen.	☐	☐

🔊 2.07 **25** Für wen ist gesundes Essen wichtig? Hören Sie und kreuzen Sie an.

	1	2	3	4
A wichtig	☐	☐	☐	☐
B nicht wichtig	☐	☐	☐	☐

Gute Besserung! ....

der Hausarzt, "-e ....

die Hausärztin, -nen ....

der Zahnarzt, "-e ....

die Zahnärztin, -nen ....

die Sprechzeiten, Pl. ....

nach Vereinbarung ....

die Zahnschmerzen, Pl. ....

die Halsschmerzen, Pl. ....

die Bauchschmerzen, Pl. ....

die Rückenschmerzen, Pl. ....

A Ein Besuch beim Arzt

die Praxis, Praxen ....

am Apparat ....

am nächsten Montag ....

sagen ....

der Kopf, "-e ....

das Auge, -n ....

die Nase, -n ....

der Mund, "-er ....

das Ohr, -en ....

der Hals, "-e ....

das Bein, -e ....

der Fuß, "-e ....

der Arm, -e ....

der Finger, - ....

der Rücken, - ....

der Bauch, "-e ....

Was fehlt Ihnen? ....

erkältet sein ....

der Schnupfen, Sg. ....

der Husten, Sg. ....

weh}tun ....

das Fieber, Sg. ....

auf}machen ....

die Erkältung, -en ....

die Grippe, -n ....

die Kontrolle, -n ....

die Tablette, -n ....

sollen ....

B Gesundheit in Deutschland

die Gesundheit, Sg. ....

die Krankenkasse, -n ....

regelmäßig ....

die Zahnkontrolle, -n ....

das Bonusheft, -e ....

die Gesundheitskarte, -n ....

die Krankschreibung, -en ....

der/die Arbeitgeber/in, -/-nen ....

das Medikament, -e ....

geben ....

das Rezept, -e ....

die Apotheke, -n ....

C Mein Kind ist krank

krank ....

sofort ....

Fieber messen ....

die Entschuldigung, -en ....

Sehr geehrte Frau … / Sehr geehrter Herr …	....	der Notarzt, "-e	....
		der Unfall, "-e	....
Mit freundlichen Grüßen	....	Was ist passiert?	....
der Unterricht, Sg.	....	verletzt sein	....

D Im Krankenhaus

untersuchen	....
operieren	....
es geht mir besser	....

dringend	....
die Minute, -n	....
die Ecke, -n	....
das Feuer, Sg.	....
die Feuerwehr, -en	....
der Krankenwagen, -	....

E 112 – Der Notruf

der Notruf, -e	....
der Notfall, "-e	....

1 Sammeln Sie Wörter zum Thema Gesundheit in Deutschland.

2 Was passt? Ergänzen Sie.

> die Medikamente • die Gesundheitskarte •
> die Krankschreibung • das Rezept • das Bonusheft

1 Das brauchen Sie beim Arzt: ....

2 Das bekommen Sie vom Arzt: ....

3 Das brauchen Sie beim Zahnarzt: ....

4 Das geben Sie dem Arbeitgeber und der Krankenkasse: ....

5 Das bekommen Sie in der Apotheke: ....

3 🔊 2.08 Wörter hören und nachsprechen. Hören Sie zu und sprechen Sie nach.

1 die Halsschmerzen • die Bauchschmerzen • die Kopfschmerzen

2 die Krankenkasse • die Gesundheitskarte • die Krankschreibung

3 die Apotheke • das Rezept • das Medikament • die Tablette

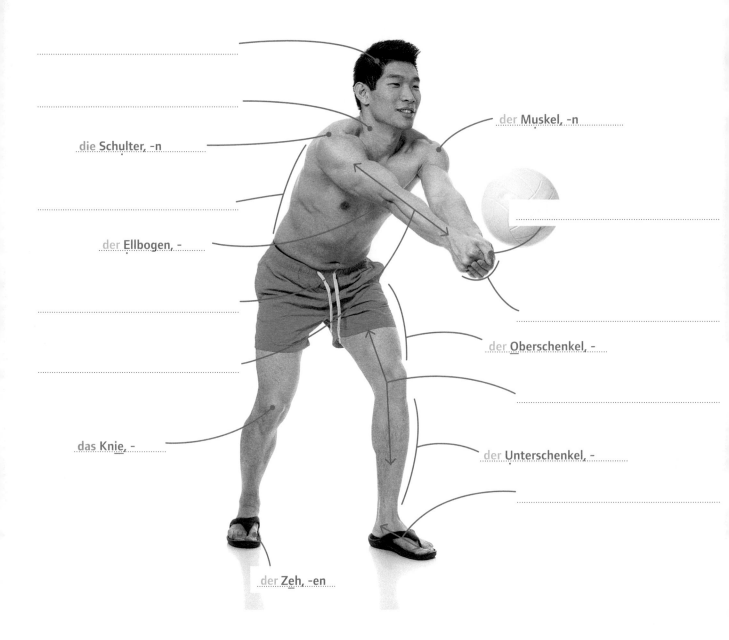

der Muskel, -n

die Schulter, -n

der Ellbogen, -

der Oberschenkel, -

das Knie, -

der Unterschenkel, -

der Zeh, -en

4 Schreiben Sie die Körperteile mit Artikel und Plural.

🔊 **5** Hören Sie die neuen Wörter und sprechen Sie nach.
2.09

🔊 **6** Wortpaare. Was passt zusammen? Ergänzen Sie. Es gibt mehrere Möglichkeiten.
2.10 Vergleichen Sie dann mit der CD.

1 der Arm und *das Bein* ....
2 der Fuß und ....
3 der Rücken und ....
4 der Oberschenkel und ....

5 die Lippen und ....
6 der Finger und ....
7 die Wimpern und ....
8 die Wirbelsäule und ....

die Stirn

die Augenbraue, -n

die Wimper, -n

die Lippe, -n

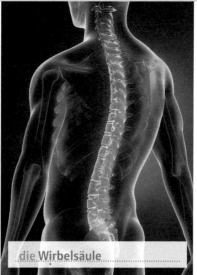

die Wirbelsäule

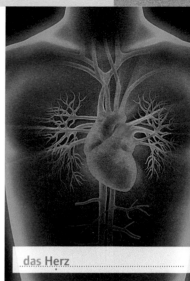

das Herz

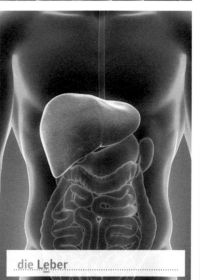

die Leber

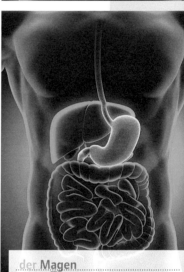

der Magen

7 Welche Körperteile passen? Schreiben Sie.

hören: ....

sehen: ....

essen: ....

gehen: ....

Sport machen: ....

8 Welches Wort passt nicht? Streichen Sie das Wort.

1 der Finger – der Rücken – die Hand
2 die Schulter – der Zeh – der Rücken
3 der Ellbogen – der Kopf – der Arm
4 das Herz – die Augenbraue – die Lippe
5 die Leber – die Stirn – der Magen

Wege durch die Stadt

1a Wie heißen die Verkehrsmittel? Schreiben Sie.

das Fahrrad • der Bus • das Auto • der Zug • die Straßenbahn • die U-Bahn

1 ....

2 ....

3 ....

4 ....

5 ....

6 ....

🔊 2.11 **1b** Welches Verkehrsmittel benutzen die Personen? Hören Sie und tragen Sie ein:
P (Pedro), S (Susanne) oder MP (Magda und Pavel).

2a *Gehen, fahren* oder *fliegen*? Ergänzen Sie die Verben.

1 Ich *fahre* mit dem Auto.

2 Wir .... immer zu Fuß.

3 Jasmin .... mit der U-Bahn.

4 Robert .... mit dem Zug.

5 Herr Smith nimmt oft das Flugzeug.

Er .... oft nach Wien.

6 Wir .... mit dem Schiff.

7 Ich .... mit dem Fahrrad.

2b Wie kommen Sie zu … / nach …? Schreiben Sie.

1 Sie möchten einkaufen: *Ich fahre manchmal mit dem Fahrrad, manchmal* ....

....

....

2 Sie möchten Verwandte in Ihrer Heimat besuchen: ....

....

....

3a Wie finden die Leute die Verkehrsmittel? Hören Sie und ergänzen Sie die Adjektive.

2.12

> billig • teuer • gesund • schnell • praktisch • bequem

1 Frau Dettinger findet das Fahrrad ...., ... und ....

2 Herr Scolari findet das Auto ...., aber auch sehr ....

3 Herr Alexandrov findet die U-Bahn ....

3b Hören Sie noch einmal und kreuzen Sie an: Richtig oder falsch?

2.12

	R	F
1 Familie Dettinger hat kein Auto.	☐	☐
2 Herr Dettinger fährt nur mit dem Fahrrad.	☐	☐
3 Herr Scolari benutzt sein Auto nur am Wochenende.	☐	☐
4 Familie Scolari macht die Ausflüge mit dem Zug.	☐	☐
5 Herr Alexandrov kann nicht Fahrrad fahren.	☐	☐
6 Herr Alexandrov fährt in der Stadt oft mit der U-Bahn.	☐	☐

A Der Weg zur Arbeit

4 Hören Sie und kreuzen Sie an: Was ist richtig? Hören Sie den Dialog zweimal.

2.13

1 Wie lange braucht Frau Meister zur Arbeit?
  A ☐ Eine halbe Stunde.
  B ☐ Eine Viertelstunde.
  C ☐ Eine Stunde.

2 Wie kommt Frau Meister zur Arbeit?
  A ☐ Mit der U-Bahn.
  B ☐ Mit dem Auto.
  C ☐ Mit dem Zug.

3 Wo arbeitet Frau Meister?
  A ☐ In einem Museum.
  B ☐ In einer Schule am Bahnhof.
  C ☐ In einer Schule in Lübeck.

Linda Meister

5 *Stunde* oder *Uhr*? Ergänzen Sie.

1 • Wie spät ist es?
  • Es ist drei ....

2 • Wie lange brauchst du zur Arbeit?
  • Eine halbe ....

3 • Ist die .... neu?
  • Ja, wie findest du sie?

4 • Wie lange haben wir Unterricht?
  • Eine ....

6 Wie kommen Sie zum Deutschkurs? Schreiben Sie.

....

....

....

B In der Stadt

7 Sie suchen ... Schreiben Sie Sätze wie im Beispiel.

1 *Entschuldigung, ich suche den Bahnhof.*

   Entschuldigung, wie komme ich zum Bahnhof?

2 ....

   ....

3 ....

   ....

4 ....

   ....

8 Ergänzen Sie den Dialog. Lesen Sie den Dialog dann laut.

> Vielen Dank. • Und wie muss ich fahren? • Entschuldigung, wie komme ich zum Südbahnhof? • Also, die U2 Richtung Zoo und dann fünf Stationen.

● ....

● Das ist ganz einfach. Nehmen Sie die U-Bahn. Da vorne ist die U-Bahnstation.

● ....

● Nehmen Sie die Linie 2 Richtung Zoo. Fahren Sie fünf Stationen, dann kommen Sie zum Südbahnhof.

● ....

● Ja, genau.

● ....

9 Wie komme ich zum Theaterplatz? Ergänzen Sie die Verben.

> nehmen • umsteigen • sind • fahren • komme • nehmen • fahren

• Entschuldigung, wie .... ich zum Theaterplatz?

• .... Sie die U2 und .... Sie bis zum Hauptbahnhof. Dann

müssen Sie .... Sie die U1 Richtung Flughafen.

.... Sie zwei Stationen, dann .... Sie am Theaterplatz.

10 Lesen Sie die Dialoge und ergänzen Sie die Präpositionen und Artikel.

> zum • zur • zur • zu • mit dem • mit dem • mit dem • mit dem • mit der • mit der

1 • Die Kinder müssen morgen um 7.30 Uhr .... Schule.

Bringst du sie .... Auto?

• Nein, ich habe keine Zeit, sie müssen .... U-Bahn fahren.

2 • Wie kommen Sie nach Prag? .... Zug?

• Nein, ich fliege .... Flugzeug.

3 • Fährst du heute .... Bus .... Arbeit?

• Nein, ich fahre .... Straßenbahn.

4 • Bringst du mich .... Bahnhof?

• Ja, klar. Wir können .... Fuß gehen. Wir haben Zeit.

11 Was kann man hier machen? Schreiben Sie Sätze wie im Beispiel.

> ~~Filme sehen~~ • Fahrkarten kaufen • Brot und Brötchen kaufen •
> Medikamente kaufen • Lebensmittel einkaufen • Kaffee trinken • Geld wechseln

1 Kino: *Im Kino kann man Filme sehen.* ....

2 Bahnhof: ....

3 Apotheke: ....

4 Bank: ....

5 Bäckerei: ....

6 Supermarkt: ....

7 Café: ....

12 Wo ist die Fliege? Ergänzen Sie die Präposition und den Artikel.

vor den Augen .... den Gläsern .... Rücken .... Fenster

.... Tisch .... Tisch .... Tisch .... Suppe

13 Zwei Zimmer. Was ist anders? Finden Sie fünf Unterschiede und schreiben Sie Sätze.

1. Links ist die Blume auf dem Sessel. Rechts ist sie ...

....

....

....

....

14 Auf der Straße. Ergänzen Sie die Präpositionen und Artikel.

> auf dem • Auf der • an der • An der • im • Vor dem

1 .... Haltestelle warten viele Menschen. Der Bus kommt nicht.

2 Samstags sind viele Leute .... Markt.

3 .... Haus stehen viele Autos.

4 Ich war gestern mit Max .... Kino.

5 .... Straße sind jetzt viele Autos. Sie müssen lange .... Ampel warten.

15 Wegbeschreibung. Ergänzen Sie den Dialog.

> Also hier geradeaus und an der zweiten Kreuzung links. • Vielen Dank. •
> Entschuldigung, wie komme ich zum Bahnhof? • Nein, ich fahre mit dem Auto.

○ ....

○ Zum Bahnhof? Hm ... Gehen Sie zu Fuß?

○ ....

○ Fahren Sie zuerst diese Straße geradeaus und an der zweiten Kreuzung links. Dann
kommen Sie zum Bahnhof.

○ ....

○ Genau, der Bahnhof ist dann rechts.

○ ....

16 Hören Sie den Dialog und zeichnen Sie den Weg in den Plan ein.
2.14

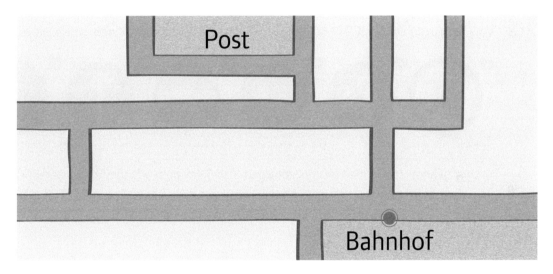

C   Der Führerschein

17 Wer darf zuerst fahren? Wer muss warten? Schreiben Sie.

   *Das Auto* ...
....

....

   ....

....

18 *Müssen* und *dürfen*. Schreiben Sie die Sätze wie im Beispiel.

1 Das Auto – an der Ampel – muss – warten   *Das Auto muss an der Ampel warten.*

2 Der Bus – darf – fahren – zuerst   ....

3 fahren – Dann – darf – das Fahrrad   ....

4 nach rechts – abbiegen – Das Auto – muss   ....

19 Lesen Sie die Dialoge und ergänzen Sie *müssen* und *dürfen*.

1 ● Papa, ... wir fernsehen? ● Ihr .... zuerst Hausaufgaben

machen, dann........................... ihr eine Stunde fernsehen.

2 ● Mama, ... Finn am Wochenende hier schlafen? ● Ja, aber du

.... dein Zimmer aufräumen.

3 ● .... ich spielen? ● Ja, aber zuerst .... du zu Mittag essen.

20 Was bedeuten die Schilder? Schreiben Sie Sätze mit *müssen*, *dürfen* und *nicht dürfen*.

| telefonieren • nach rechts abbiegen • weiterfahren • anhalten • parken • |
| geradeaus fahren • mit dem Rad fahren • mit dem Auto fahren • zu Fuß gehen |

Bei Schild 1 darf man nicht ...

21 Schreibtraining. Ergänzen Sie die Verben an der richtigen Position. Schreiben Sie dann den Text noch einmal in Ihr Heft.

brauche • gehe • nehme • fahre • ~~ist~~ • nehme • muss • steige

ist

Mein Weg zur Arbeit weit. Ich erst zwanzig Minuten zu Fuß. Dann ich die S-Bahn.

Ich 50 Minuten mit der S-Bahn. Am Bahnhof ich aus. Dort ich die U-Bahn und ich

auch noch einmal 20 Minuten mit der U-Bahn fahren. Manchmal ich zwei Stunden.

22a Lesen Sie den Fahrplan und ordnen Sie die Erklärungen zu.

> **A** Man kann im Zug sein Fahrrad mitnehmen. • **B** Von Montag bis Samstag •
> **C** Am Samstag • ~~**D** Am Sonntag und an Feiertagen~~ • **E** Man kann im Zug Getränke
> bekommen. • **F** Hauptbahnhof

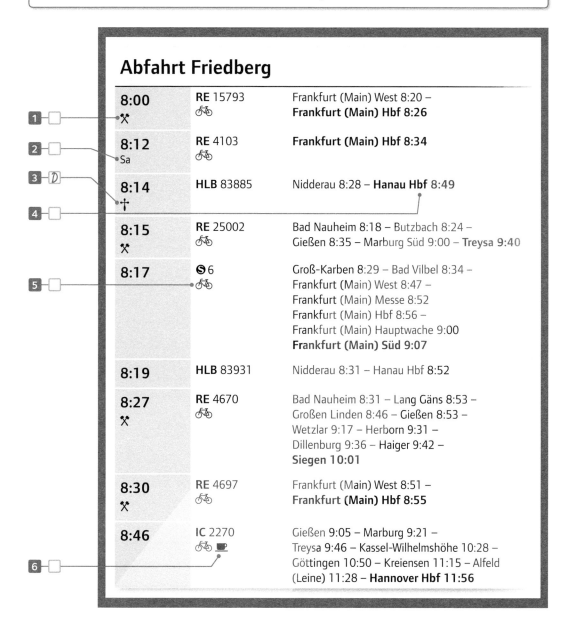

Abfahrt Friedberg

1 ☐

8:00
✗

RE 15793
🚲

Frankfurt (Main) West 8:20 –
Frankfurt (Main) Hbf 8:26

2 ☐

8:12
Sa

RE 4103
🚲

Frankfurt (Main) Hbf 8:34

3 D

8:14
✝

HLB 83885

Nidderau 8:28 – **Hanau Hbf 8:49**

4 ☐

8:15
✗

RE 25002
🚲

Bad Nauheim 8:18 – Butzbach 8:24 –
Gießen 8:35 – Marburg Süd 9:00 – **Treysa 9:40**

5 ☐

8:17

Ⓢ6
🚲

Groß-Karben 8:29 – Bad Vilbel 8:34 –
Frankfurt (Main) West 8:47 –
Frankfurt (Main) Messe 8:52
Frankfurt (Main) Hbf 8:56 –
Frankfurt (Main) Hauptwache 9:00 –
Frankfurt (Main) Süd 9:07

8:19

HLB 83931

Nidderau 8:31 – Hanau Hbf 8:52

8:27
✗

RE 4670
🚲

Bad Nauheim 8:31 – Lang Gäns 8:53 –
Großen Linden 8:46 – Gießen 8:53 –
Wetzlar 9:17 – Herborn 9:31 –
Dillenburg 9:36 – Haiger 9:42 –
Siegen 10:01

8:30
✗

RE 4697
🚲

Frankfurt (Main) West 8:51 –
Frankfurt (Main) Hbf 8:55

6 ☐

8:46
🚲 ☕

IC 2270

Gießen 9:05 – Marburg 9:21 –
Treysa 9:46 – Kassel-Wilhelmshöhe 10:28 –
Göttingen 10:50 – Kreiensen 11:15 – Alfeld
(Leine) 11:28 – **Hannover Hbf 11:56**

22b Suchen Sie im Fahrplan einen passenden Zug für die Personen. Ergänzen Sie.

1 Frau Gonzales möchte von Friedberg nach Frankfurt fahren. Es ist Sonntag acht Uhr.

Sie kann den Zug um .... nehmen.

2 Herr Yan möchte von Friedberg nach Hanau fahren. Es ist Montag, Viertel vor acht.

Er kann den Zug um .... nehmen.

3 Marek, Fabian und Pavel machen eine Fahrradtour. Sie möchten mit Fahrrädern von
Friedberg nach Siegen fahren. Es ist Freitag, kurz nach acht. Sie können den Zug um

.... nehmen.

der Weg, -e	....	die Station, -en	....
die Stadt, "-e	....	um⟨steigen	....
der Bus, -se	....	der Flughafen, "-	....
die Straßenbahn, -en	....	die Stadtmitte, Sg.	....
die U-Bahn, -en	....	die Haltestelle, -n	....
die S-Bahn, -en	....	die Monatskarte, -n	....
der Zug, "-e	....	das Café, -s	....
das Schiff, -e	....	der Platz, "-e	....
das Motorrad, "-er	....	der Baum, "-e	....
das Flugzeug, -e	....	der Spielplatz, "-e	....
der/die Fußgänger/in, -/-nen	....	die Bank, "-e	....
		der Hund, -e	....
fahren	....	in	....
fliegen	....	an	....
zu Fuß gehen	....	auf	....
teuer	....	unter	....
schnell	....	über	....
praktisch	....	vor	....
		hinter	....

A Der Weg zur Arbeit

morgens	....	neben	....
das Schwimmbad, "-er	....	zwischen	....
das Rathaus, "-er	....	die Ampel, -n	....
die Bibliothek, -en	....	parken	....
		der Parkplatz, "-e	....

B In der Stadt

der Hauptbahnhof, "-e	....	der Park, -s	....
weit	....	der Fluss, "-e	....
die U-Bahn-Station, -en	....	(nach) links	....
die Linie, -n	....	(nach) rechts	....
die Richtung, -en	....	geradeaus	....
der Zoo, -s	....	die Kreuzung, -en	....
		auf der linken Seite	....

gegenüber ....

in der Nähe ....

C Der Führerschein

der Führerschein, -e ....

die Führerscheinprüfung, ...
-en

an{erkennen ....

dürfen ....

Vorfahrt haben ....

das Vorfahrtsschild, -er ....

der Lkw, -s ....

der Bürgersteig, -e ....

das Schild, -er ....

an{halten ....

ab{biegen ....

hupen ....

weiter{fahren ....

blinken ....

Vorfahrt achten ....

1 **Was passt zusammen? Ordnen Sie zu.**

    1 anhalten   **A** schnell fahren

    2 rechts abbiegen   **B** das Stoppschild

    3 abbiegen   **C** weiterfahren

    4 langsam fahren   **D** geradeaus fahren

    5 das Vorfahrtsschild   **E** links abbiegen

2 **Welche Präposition passt? Ergänzen Sie.**

◀)) 3 **Wörter hören und nachsprechen. Hören Sie zu und sprechen Sie nach.**
2.15

    1 nach links – nach rechts – geradeaus – in der Nähe – gegenüber

    2 die Haltestelle – die Station – der Hauptbahnhof – der Flughafen

    3 das Rathaus – die Bibliothek – der Parkplatz – das Schwimmbad

der Hubschrauber, -

das Wohnmobil, -e

die Fähre, -n

der Motorroller, -

das Boot, -e

4 Ergänzen Sie die Verkehrsmittel mit Artikel und Plural.

🔊 **5** Hören Sie die neuen Wörter und sprechen Sie nach.
2.16

6 Welches Wort passt nicht? Streichen Sie das Wort.

1 das Boot – die Fähre – das Fahrrad
2 der Lkw – der Zug – das Auto
3 das Flugzeug – der Motorroller – der Hubschrauber

DB Hauptbahnhof S

der Hafen, "-

die Straßenbahnhaltestelle, -n

der Campingplatz, "-e

der Busbahnhof, "-e

7 Ihre Wege. Schreiben Sie Sätze wie im Beispiel.

> zum Hafen • zur Haltestelle • zum Bahnhof • zum Busbahnhof •
> zum Flughafen • zur U-Bahnstation …

Ich gehe zu Fuß zum Bahnhof und fahre mit dem Zug nach …

8a Hören Sie das Interview. Wie oft benutzt Frau Haidiri die Verkehrsmittel? Ergänzen Sie.
2.17

täglich	oft	manchmal	selten	nie

8b Welche Verkehrsmittel benutzt Frau Haidiri? Hören Sie noch einmal und notieren Sie.
2.17

Arbeit: …   Einkäufe: …   Ausflüge: …   Eltern besuchen: …

10 Mein Leben

1a Silbenrätsel. Welche Wörter fehlen? Ergänzen Sie die Sätze.

> Füh • den • dig • ge • hei • le • ra • rer • schie • schein • tet • ver

1 Frau Dorsová lebt allein und ist nicht verheiratet. Sie ist ....

2 Ihr Bruder ist nicht mehr verheiratet. Er ist jetzt ....

3 Johanna hat einen Mann. Sie ist ....

4 Sie darf mit dem Auto fahren. Sie hat einen ....

1b Fragen an Juan Rodriguez. Schreiben Sie die Fragen in der *Sie*- und *Du*-Form.

1 ....
....
Nein, ich bin ledig.

Juan Rodriguez, 35 Jahre

2 ....
....
Nein, mein Bruder ist geschieden.

3 ....
....
Ja, ich habe einen Führerschein.

4 ....
....
Nein, ich wohne in einer Kleinstadt.

2 Früher und heute. Ergänzen Sie das Präteritum von *haben* und *sein*.

Esra Marzouki, 28 Jahre

Früher .... Esra in Tunesien. Jetzt ist sie in Deutschland. Sie wohnt in Köln.

Früher .... sie ein Kind. Heute hat sie zwei Kinder.

In Tunesien .... sie keine Arbeit. Heute hat sie Arbeit, sie arbeitet als Buchhalterin.

Früher .... sie oft im Kino. Heute ist sie am Abend meistens zu Hause.

3 Und Sie? Schreiben Sie Sätze wie in 2.

Früher war ich ....

Heute ....

....

A Gestern und heute

4a Familie Oliveira. Ordnen Sie zu.

> **A** Mittagessen machen • **B** mit den Kindern spielen • **C** Musik hören •
> **D** ein Bild malen • **E** die Wohnung aufräumen • **F** im Supermarkt einkaufen

 1  2  3

 4  5  6

4b Schreiben Sie Sätze zu den Bildern.

1 *Herr Oliveira räumt die Wohnung auf.* 4 ....

2 .... 5 ....

3 .... 6 ....

🔊 **4c** Schreiben Sie die Sätze im Perfekt. Kontrollieren Sie mit der CD und sprechen Sie nach.
2.18

> gehört • aufgeräumt • gemalt • gespielt • gemacht • eingekauft

1 *Er* .... *hat* .... *die Wohnung* .... *aufgeräumt.* ....

2 ....

3 ....

4 ....

5 ....

6 ....

5 Verben. Ergänzen Sie das Partizip.

machen .... arbeiten .... lernen ....

suchen .... abholen .... träumen ....

reden .... kochen .... einkaufen ....

6a Schreiben Sie Fragen und Antworten.

Fragen:

1 am Sonntag – Was – gemacht – Sie – haben – ?
2 heute schon – du – Hast – eingekauft – ?
3 Wann – gemacht – du – hast – den Kuchen – ?
4 gestern – sie – hat – Wie lange – gearbeitet – ?

1 *Was* .... *haben* .... *Sie am Sonntag* .... *gemacht?* ....

2 ....

3 ....

4 ....

Antworten:

A Nein, ich – Geld von der Bank – geholt – habe – .
B Musik – gehört – habe – Ich – .
C gestern bis 23 Uhr – Sie – hat – gearbeitet – .
D gemacht – Ich – habe – ihn heute vor der Arbeit – .

A *Nein, ich* .... *habe* .... *Geld von der Bank* .... *geholt.* ....

B ....

C ....

D ....

6b Ordnen Sie Fragen und Antworten zu. Kontrollieren Sie dann mit der CD.
2.19

1 ☐   2 ☐   3 ☐   4 ☐

7 Schreiben Sie Sätze und markieren Sie die Verben wie im Beispiel.

1 Sylvia hat Musik gehört. (gestern lange)

....

2 Tom hat die Kinder abgeholt. (am Nachmittag von der Schule)

....

3 Wir haben geredet. (vor zwei Tagen sehr lange mit dem Chef)

....

8 Was hat Enrico gestern gemacht? Schreiben Sie Sätze.

arbeiten   Deutsch lernen   Fußball spielen   Karten spielen

Am Vormittag			
Am Nachmittag			
Dann			
Am Abend			

B   Unterwegs

9 *Ich habe* oder *ich bin*? Was passt? Ergänzen Sie.

1 .... heute Nacht gut geschlafen.

2 .... gestern schon früh eingeschlafen.

3 .... am Sonntag einen Film gesehen.

4 .... gestern nicht lange bei meinem Onkel geblieben.

5 .... am Wochenende nach Heidelberg gefahren.

6 .... noch nicht gegessen.

7 .... am Sonntag einen Ausflug gemacht. .... nach Potsdam gefahren.

8 .... nach Wien mitgekommen.

10 Infinitiv und Partizip. Ergänzen Sie das Partizip und *haben* oder *sein*.

Infinitiv		Partizip	Infinitiv		Partizip
essen	hat	gegessen	trinken		
bleiben	ist	geblieben	sehen		
fahren			schlafen		
gehen			lesen		
aufstehen			kommen		
aufräumen			mitkommen		
abholen			lernen		

11 *Haben* oder *sein*? Schreiben Sie Sätze im Perfekt.

1 Leila – gestern – nach Paris – fahren – .

Leila ist ....

2 Robert – nicht gut – schlafen – .

....

3 heute Morgen – er – früh – aufstehen – .

....

4 ihr – heute – mit dem Fahrrad – zur Arbeit – fahren – ?

....

5 wir – das Auto – nehmen – .

....

12 Lesen Sie die E-Mail und ergänzen Sie die Verben im Perfekt und *haben* oder *sein*.

sehen • arbeiten • kommen • essen • gehen • aufräumen • aufstehen • einkaufen

Von: danielle.moritani@xs4all.de

Hallo Marinela,

wie geht es dir? Mein Wochenende war toll! Am Freitag .... ich lange

.... – bis 20 Uhr! Aber dann .... Alexandra ....

und wir .... in die Disko .... Am Samstag ....

ich erst um halb eins .... und .... dann schnell im Super-

markt .... Danach .... ich eine Pizza .... und

die Wohnung .... Am Abend war ich auf der Geburtstagsparty von

Sebastian. Und da .... ich ihn ....: Simon: Groß, tanzt super

und sieht toll aus. Heute Nachmittag gehen wir zusammen spazieren!

Morgen schreibe ich mehr. 😊

Deine Danielle

13 Und Sie? Schreiben Sie mit den Verben je einen Satz im Perfekt.

1 einschlafen: *Ich* ....

2 schlafen: ....

3 aufstehen: ....

4 essen: ....

5 lesen: ....

6 gehen: ....

14 Was haben Sie am Wochenende gemacht? Schreiben Sie einem Freund/einer Freundin eine E-Mail.

Liebe/r ....,

....

....

....

....

Viele Grüße

....

C Mein Leben früher und heute

15a Schreiben Sie Fragen zu Frau Tran.

Name: Hung Tran
Heimatland: Vietnam
Beruf: Bankkauffrau
Familienstand: verheiratet
Kinder: 2
Hobby: schwimmen, kochen
In Deutschland: seit 2014

Wie? Woher? Was? Ist sie …? Hat …? Wie viele? Was? Seit wann?

1 *Wie heißt sie?*

2 ....

3 ....

4 ....

5 ....

6 ....

7 ....

15b Schreiben Sie einen Text über Frau Tran.

Das ist Frau Tran. Ihr Vorname ist …

....

....

....

....

16 Wie heißen die Jahreszahlen? Ergänzen Sie.

1 siebzehnhundertzwölf   *1712*............................

2 achtzehnhundertneunundneunzig   ....

3 neunzehnhunderteinunddreißig   ....

4 2015

5 2001

6 1987

2.20

17 Hören Sie das Interview zweimal und ergänzen Sie die Jahreszahlen.

Pavel Kowalski

Herr Kowalski ist .... in Polen geboren. Er ist von

.... bis .... in die Schule gegangen. Er

hat .... geheiratet und ist .... nach

Deutschland gekommen.

In den Jahren .... und .... hat er

Deutschkurse an der Volkshochschule gemacht. Bis

.... war er Hausmeister in einer Schule in Köln.

Seit .... lernt er den Beruf Altenpfleger.

18a Schreibtraining. Ergänzen Sie die Verben an der richtigen Position. Schreiben Sie den Text noch einmal in Ihr Heft.

> haben • haben • haben • haben • haben • ~~sind~~ • sind • war • ist • war

Fehler +++ Fehler +++ Fehler

sind

Am Wochenende wir zusammen zu Freunden nach Berlin gefahren.

Das super! Am Samstagmorgen wir mit dem Bus eine

Stadtrundfahrt gemacht. Danach wir im Restaurant gegessen und

dann wir einen Kaffee getrunken. Am Nachmittag wir eingekauft

und am Abend wir zusammen Essen gemacht und dann wir ins Kino

gegangen. Der Film leider langweilig, aber Berlin toll.

Liebe Grüße
Maria

45

Beata Schneider

Berliner Straße 12

63456 Hanau

2.21

18b Kontrollieren Sie dann mit der CD. Hören Sie den Text noch einmal und sprechen Sie nach.

Ein Gespräch mit der Lehrerin in der Schule

Deepah ist neu in Deutschland. Sie muss jetzt in Deutschland zur Schule gehen. Sie war in Nepal in der 3. Klasse. Die Eltern haben einen Termin mit der Lehrerin.

🔊 2.22 **19a** Hören Sie das Gespräch und beantworten Sie die Fragen.

1 Wie alt ist Deepah?
2 Hatte sie früher Probleme in der Schule?
3 Welche Noten hatte sie?
4 Wie gut kann Deepah Deutsch?

> 1. Deepah ist neun ...
> 2. ...

🔊 2.22 **19b** Hören Sie noch einmal. Was fragt die Lehrerin? Ergänzen Sie die Fragen.

Das antworten die Eltern:

1 • .... • Vor drei Jahren.

2 • .... • Nein, sie ist gern zur Schule gegangen.

3 • .... • Ja, sie hat schon Deutsch gelernt.

4 • .... • Nein, sie kann nicht alles verstehen.

20a Lesen Sie den Flyer und beantworten Sie die Fragen.

1 Wer arbeitet im Verein Schülerhilfe? **2** Wie wollen sie den Schülern helfen?

Verein Schülerhilfe

Wer?	Wir sind Rentner, Rentnerinnen, pensionierte Lehrer und Lehrerinnen, Eltern und viele andere mehr.
Was?	Wir wollen Schülern helfen. Ihre Kinder können mit uns Lesen, Schreiben und Rechnen üben.
Wann und wo?	Mo.–Do.: 14 Uhr – 16 Uhr, Brüder-Grimm-Schule, Raum 216
Kontakt:	E-Mail: schülerhilfe@web.de
Telefon:	0151 238 44 262

🔊 2.23 **20b** Hören Sie das Gespräch weiter. Die Lehrerin hat ein Angebot für Deepah und ihre Eltern. Kreuzen Sie an: Was ist richtig?

1 Der Verein Schülerhilfe hilft
    A ☐ nur ausländischen Schülern.
    B ☐ deutschen und ausländischen Schülern.

2 Der Verein arbeitet „ehren-amtlich". Das bedeutet:
    A ☐ Die Mitarbeiter im Verein bekommen kein Geld.
    B ☐ Das Angebot vom Verein ist nicht teuer.

früher ....

heute ....

verheiratet ....

ledig ....

geschieden ....

die Großstadt, "-e ....

die Kleinstadt, "-e ....

A Gestern und heute

träumen ....

reden ....

mit Freunden reden ....

Karten spielen ....

Sport machen ....

das Radio, -s ....

Radio hören ....

B Unterwegs

unterwegs ....

die Postkarte, -n ....

Liebe Claudia ....

Lieber John ....

Liebe Grüße ....

ein{schlafen ....

müde ....

auf{wachen ....

der Autoschlüssel, - ....

finden ....

C Mein Leben früher und heute

auf dem Land leben ....

in der Stadt leben ....

am Anfang ....

zuerst ....

zuletzt ....

seit ....

seit wann …? ....

wie lange …? ....

arm ....

schwer ....

das Taxiunternehmen, - ....

der/die Angestellte, -n/-n ....

wichtig ....

....

....

....

Perfekt – unregelmäßige Verben

trinken	–	ich habe getrunken
schlafen	–	ich habe geschlafen
sehen	–	ich habe gesehen
fern{sehen	–	ich habe ferngesehen
lesen	–	ich habe gelesen
essen	–	ich habe gegessen

gehen	–	ich bin gegangen
kommen	–	ich bin gekommen
fahren	–	ich bin gefahren
ein{schlafen	–	ich bin eingeschlafen
auf{wachen	–	ich bin aufgewacht
auf{stehen	–	ich bin aufgestanden
bleiben	–	ich bin geblieben

1a Perfekt. Schreiben Sie zu den Verben Sätze im Präsens und Perfekt auf Karten.

> arbeiten • spielen • aufräumen • fahren • gehen • einkaufen • träumen •
> kochen • machen • reden • abholen • hören • lernen • aufstehen • trinken •
> essen • schlafen • bleiben • sehen • lesen

lernen
Ich lerne Deutsch.

trinken
Ich trinke einen Tee.

lernen
Ich habe Deutsch
gelernt.

trinken
Ich habe einen Tee
getrunken.

> **ⓘ**
> Lerntipp
> Lernen Sie das Perfekt
> im Satz. Schreiben Sie
> Infinitive und Sätze im
> Präsens und Perfekt
> auf Karten.

1b Was haben Sie letztes Wochenende gemacht? Schreiben Sie einen kleinen Text im Perfekt mit den Verben aus 1a.

> *Am Samstag bin ich um … Uhr aufgestanden. Dann …*

2a Was passt? Orden Sie zu. Es gibt mehrere Möglichkeiten.

1 Deutsch	**A** ☐ hören
2 Radio	**B** ☐ lernen
3 Karten	**C** ☐ spielen
4 mit Freunden	**D** ☐ trinken
5 am Computer	**E** ☐ leben
6 Sport	**F** ☐ machen
7 in der Stadt	**G** ☐ reden
8 einen Kaffee	**H** ☐ arbeiten

2b Wie heißen die Wörter? Schreiben Sie die Wörter mit Artikel.

> Taxi • Führer • Post • Auto • karte • schlüssel • unternehmen • schein

 1 ....

 3 ....

 2 ....

4 ....

🔊
2.24

3 Wörter hören und nachsprechen. Hören Sie zu und sprechen Sie nach.

1 ledig – verheiratet – geschieden
2 in der Großstadt leben – in der Kleinstadt leben – auf dem Land leben
3 seit wann? – seit 1998 – seit 2009 – seit 2014

in Berlin ankommen

einen Ausflug nach Potsdam machen

die Museumsinsel sehen

eine Stadtrundfahrt machen

in ein Konzert gehen

einen Kaffee trinken

◀)) 2.25   4a   Eine Wochenendreise nach Berlin. Was haben Fatima und Simon gemacht? Hören Sie und bringen Sie die Fotos auf Seite 126 und 127 in die richtige Reihenfolge.

4b   Was haben sie gemacht? Schreiben Sie die Geschichte.

> ankommen – sind angekommen • wohnen – haben gewohnt •
> (den Bus) nehmen – haben (den Bus) genommen • (eine Stadtrundfahrt) machen –
> haben (eine Stadtrundfahrt) gemacht • fahren – sind gefahren •
> sehen – haben gesehen • trinken – haben getrunken •
> gehen – sind gegangen • (spät) aufstehen – sind (spät) aufgestanden • sitzen – haben
> gesessen • (einen Ausflug) machen – haben (einen Ausflug) gemacht •
> essen – haben gegessen

zum Alexanderplatz fahren

in einem Hotel wohnen

das Brandenburger Tor sehen

auf dem Balkon frühstücken

den Reichstag sehen

in einem Restaurant essen

Am Donnerstagabend sind Fatima und Simon in Berlin angekommen.

🔊
2.25

4c Hören Sie die Geschichte noch einmal und vergleichen Sie Ihren Text mit der CD.

11 Ämter und Behörden

1a Wie heißen die fünf Ämter? Ordnen Sie zu und schreiben Sie die Wörter mit Artikel.

1 .... Bundes.. für Arbeit

2 .... Fa....................................

3 .... Kfz-...................................stelle

4 .... Aus...................................

5 .... Stan...................................

1b Was kann man wo machen? Schreiben Sie Sätze wie im Beispiel.

1 das Visum verlängern

Beim Ausländeramt kann man das Visum verlängern.

2 Kindergeld beantragen

....

3 eine Berufsberatung bekommen

....

4 heiraten

....

5 ein Auto anmelden und abmelden

....

2 Welche Verben passen? Kreuzen Sie an.

	anmelden	abmelden	beantragen	bekommen
Kindergeld	☐	☐	☐	☐
eine Berufsberatung	☐	☐	☐	☐
ein Auto	☐	☐	☐	☐
einen Termin	☐	☐	☐	☐

A   Bei der Meldestelle

3a Ein Formular ausfüllen. Was ist falsch? Markieren Sie wie im Beispiel.

Anmeldebestätigung

Neue Wohnung		Alte Wohnung	
Tag des Einzugs	Straße, Hausnummer	Straße, Hausnummer	Gemeinde
~~Dr. Samuel Gaus~~	Josefstraße 21	Schulstraße 17	21682 Stade
Gemeinde	Vermieter		
29.07.86	01.11.14	**Die Wohnung ist**	
		Hauptwohnung X Nebenwohnung	

Die Anmeldung bezieht sich auf folgende Person:

Familienname	Vorname	Geburtsdatum	männl.	weibl.
Boumard	Paris, Frankreich	53111 Bonn		X
Geburtsort	Familienstand	Staatsangehörigkeit	**berufstätig**	
Mireille	französisch	ledig	Ja X Nein	

3b Ergänzen Sie die Informationen aus 3a richtig.

Anmeldebestätigung

Neue Wohnung		Alte Wohnung	
Tag des Einzugs	Straße, Hausnummer	Straße, Hausnummer	Gemeinde
	Josefstraße 21	Schulstraße 17	21682 Stade
Gemeinde	Vermieter		
	Dr. Samuel Gaus	**Die Wohnung ist**	
		Hauptwohnung X Nebenwohnung	

Die Anmeldung bezieht sich auf folgende Person:

Familienname	Vorname	Geburtsdatum	männl.	weibl.
Boumard				X
Geburtsort	Familienstand	Staatsangehörigkeit	**berufstätig**	
			Ja X Nein	

4 Wann hat … Geburtstag? Schreiben Sie.

1 Jana: am ersten Ersten   *am 1.1.* | 7 Julia: am elften Siebten   ....

2 Martin: am dritten Zweiten .... | 8 Oskar: am zwölften Achten   ....

3 Tim: am vierten Dritten   .... | 9 Frank: am zwanzigsten Neunten   ....

4 Sonja: am fünften Vierten   .... | 10 Lana: am einundzwanzigsten Zehnten ....

5 Sarah: am neunten Fünften .... | 11 Dirk: am neunundzwanzigsten Elften ....

6 Kolja: am zehnten Sechsten................... | 12 Lin: am dreißigsten Zwölften   ....

5 Jahreszahlen. Schreiben Sie die Zahlen in Ihr Heft.

1 neunzehnhundertfünfundsiebzig   5 2019

2 neunzehnhunderteinundneunzig   6 1873

3 zweitausendvier   7 2011

4 zweitausendfünfzehn   8 1986

1. 1975
5. zweitausend...

🔊 2.26

6 Hören Sie das Interview und ergänzen Sie das Datum.

1 Stefan Ruland ist am ..14.5.1977. geboren.

2 Seine Frau ist am .... geboren.

3 Stefan und Katrin sind am .... nach Hamburg gezogen.

4 Sie haben am .... geheiratet.

5 Ihr Sohn Jens ist am .... geboren.

6 Stefan hat am .... den Führerschein gemacht.

7 Er arbeitet seit dem .... als Taxifahrer.

Familie Ruland

7 Lesen Sie und füllen Sie das Formular aus.

Heute ist der siebzehnte November und Malgorzata Grabowska möchte sich im Basketball-verein in Bochum anmelden. Sie wohnt in Bochum, in der Gisingerstr. 29. Sie hat ein Konto bei der Norisbank. Sie ist am 24.10.1991 geboren. Sie möchte den Mitgliedsbeitrag alle drei Monate überweisen. Sie möchte sich heute anmelden.

Anmeldeformular Basketballverein Bochum

		Monatsbeitrag:
Name	Vorname *Malgorzata*	15€ ☐ Kinder bis 12 Jahre 5€ ☐
Geburtsdatum	Telefon *0211 56 13 811*	**Zahlungswunsch:** monatlich ☐ vierteljährlich ☐ halbjährlich ☐

Straße, Hausnummer
Gisingerstr. 29

Wohnort
44789

Bankverbindung:
IBAN
DE33 7602 6000 0023 4914 56

Bank   Datum

Unterschrift: *M. Grabowska*

B Einen Antrag stellen

8 *Mein Zuhause GmbH* stellt sich vor. Lesen Sie die Internetseite und die Sätze.
Kreuzen Sie an: Richtig oder falsch?

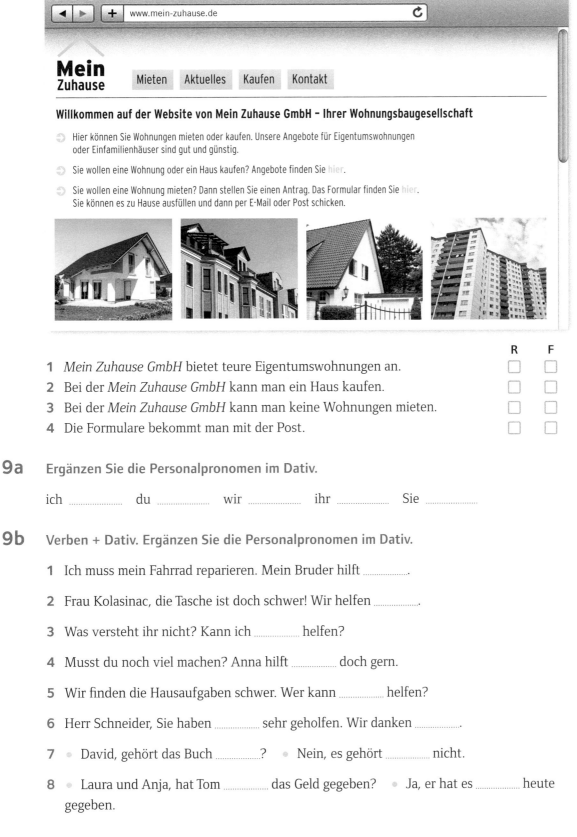

	R	F
1 *Mein Zuhause GmbH* bietet teure Eigentumswohnungen an.	☐	☐
2 Bei der *Mein Zuhause GmbH* kann man ein Haus kaufen.	☐	☐
3 Bei der *Mein Zuhause GmbH* kann man keine Wohnungen mieten.	☐	☐
4 Die Formulare bekommt man mit der Post.	☐	☐

9a Ergänzen Sie die Personalpronomen im Dativ.

ich .... du .... wir .... ihr .... Sie ....

9b Verben + Dativ. Ergänzen Sie die Personalpronomen im Dativ.

1 Ich muss mein Fahrrad reparieren. Mein Bruder hilft ....

2 Frau Kolasinac, die Tasche ist doch schwer! Wir helfen ....

3 Was versteht ihr nicht? Kann ich .... helfen?

4 Musst du noch viel machen? Anna hilft .... doch gern.

5 Wir finden die Hausaufgaben schwer. Wer kann .... helfen?

6 Herr Schneider, Sie haben .... sehr geholfen. Wir danken ....

7 • David, gehört das Buch ....? • Nein, es gehört .... nicht.

8 • Laura und Anja, hat Tom .... das Geld gegeben? • Ja, er hat es .... heute gegeben.

10 Formell oder informell? Ordnen Sie die Sätze zu und ergänzen Sie.

A ☐    C ☐

B ☐    D ☐

1 • Gehört .... die Mütze?   • Ja, kannst du mir die Mütze geben?

2 • Guten Tag, Herr Rot, kann ich .... helfen?   • Oh, sehr freundlich, Laura.

Ich danke ....

3 • Hallo, Frau Schneider. Wie geht es .... ?   • Na ja, es geht. Und ...., Frau Groß?

4 • Hallo Tim und Pia, wie geht es .... ?   • Danke, es geht .... sehr gut.

C Können Sie mir helfen?

🔊
2.27
11 Textkaraoke. Hören, lesen und sprechen Sie die 👄-Rolle im Dialog.

👄 Entschuldigung, können Sie mir
helfen?

👂 …

👄 Ich habe hier ein Formular und
verstehe das Wort berufstätig nicht.

👂 …

👄 Ja, ich bin Verkäufer.

👂 …

👄 Ah, okay, vielen Dank.

🔊 12 Ordnen Sie den Dialog. Kontrollieren Sie dann mit der CD.
2.28

☐ Ja, natürlich.

[1] Darf ich Sie etwas fragen?

☐ Die Kursgebühr ist das Geld für den Kurs.

☐ Ich möchte hier an der Volkshochschule einen Deutschkurs machen.

☐ Gerne. Es gibt noch viele freie Plätze.

☐ Super. Aber ich habe eine Frage. Ich verstehe das Wort Kursgebühr nicht.

☐ Ach so, vielen Dank.

13 Welche Antwort passt? Kreuzen Sie an.

1 Ich habe eine Frage.

☐ **A** Danke, mir geht es gut.

☐ **B** Ja, bitte.

☐ **C** Vielen Dank.

2 Guten Tag, ich suche das Büro von Herrn König.

☐ **A** Das ist nicht Herr König.

☐ **B** Wo ist Herr König?

☐ **C** Herr König sitzt im ersten Stock, Zimmer 14.

3 Haben Sie einen Termin?

☐ **A** Ja, um 11.00 Uhr

☐ **B** Ja, gern.

☐ **C** Nein, danke.

4 Entschuldigung, wo bekomme ich eine Wartenummer?

☐ **A** Hier rechts an der Tür.

☐ **B** Ich warte schon lange.

☐ **C** Das ist eine Wartenummer.

D Was braucht man für …?

14 Artikel im Akkusativ. Ergänzen Sie die Endungen.

1 • Was braucht man für d_____ Berufsberatung? • Man braucht ein_____ Termin.

2 • Was braucht man für d_____ Einkauf? • Man braucht ein_____ Tasche.

3 • Was brauchst du für d_____ Visum? • Ich brauche d_____ Pass.

4 • Was braucht man für d_____ Deutschkurs? • Man braucht ein_____ Buch.

15a Was brauchen Sie? Ordnen Sie die Fotos zu und schreiben Sie Sätze.

2 kg Reis
100 g Joghurt
Käse
1 kg Tomaten
2 Zwiebeln
2 Orangen
1 kg Hackfleisch

1 Hochzeit _____

2 Fest: _____

3 Arztbesuch: _____

4 Einkauf: _____

15b Ergänzen Sie die bestimmten und unbestimmten Artikel und schreiben Sie vier Sätze wie im Beispiel.

Für	d........... Balkon	brauche ich	Blumen
	d........... Wohnzimmer		ein........... Herd
	d........... Schlafzimmer		ein........... Sofa
	d........... Küche		ein........... Kommode
			ein .... Bett

Für den Balkon brauche ich ...

16 Lesen Sie die Dialoge und ergänzen Sie die Pronomen im Akkusativ.

1 • Frau Kezunovic, ich habe ein Paket für ...., • Vielen Dank.

2 • Für wen ist die Pizza? • Die Pizza ist für ...., Pedro! • Für ....? Vielen Dank.

3 • Wo ist Amelie? Ich habe ein Buch für .... • Sie kommt gleich.

4 • Ist heute Post für .... gekommen? • Nein, Herr Hrubesch, für .... ist leider nichts gekommen.

17a Schreibtraining. Groß oder klein? Schreiben Sie die Wörter aus der Wortschlange in das Formular.

ANNAWEIGELSCHLOSSSTRAßE5DRESDENVERHEIRATETDEUTSCH.

Vorname	Familienname

Straße	Wohnort

Familienstand	Staatsangehörigkeit

17b Diktat. Hören Sie und schreiben Sie in Ihr Heft.

2.29

Heute geht Herr Darbo ...

Großschreibung
Groß schreibt man:
Satzanfang,
Namen und Nomen

18 Das Rathaus von Kleinstetten. Lesen Sie die Informationstafel und die Situationen. Wohin müssen die Personen gehen? Wann können sie hingehen? Ergänzen Sie.

		Zimmer
3. Stock	Bürgermeister, Sekretariat und Anmeldung	301
	Ratssaal:	302
2. Stock	Standesamt, Sekretariat und Anmeldung	207
	Wohnungsamt	205 und 206
	Sozialamt	201 bis 204
1. Stock	Passamt A-K	110 und 111
	Passamt L-Z	112 und 113
	Einwohnermeldeamt/Meldestelle A-K	102 und 103
	Einwohnermeldeamt/Meldestelle L-Z	104 und 105
	Wohnungsamt	205 und 206
	Sozialamt	201 bis 204
E rdgeschoss	Info-Center Volkshochschule VHS-Direktor	07
	Anmeldung	06

Allgemeine Öffnungszeiten:

Mo	08.00–12.00 Uhr und 14.00–16.00 Uhr
Di	08.00–12.00 Uhr
Mi	08.00–12.00 Uhr
Do	08.00–12.00 Uhr und 14.00–19.00 Uhr
Fr	08.00–12.30 Uhr

Anmeldung Volkshochschule:
Mo–Do 8.00–12.00 Uhr

1 Herr Polt braucht einen Pass. Er arbeitet von Montag bis Donnerstag von 8.00-17.00 Uhr.

Stockwerk: *1. Stock*　　　　　　　　Zimmer: *112 oder 113*

Zeit: *Donnerstag nach 17 Uhr oder Freitag 8–12.30 Uhr*

2 Karin und Lukas Amann sind neu in Kleinstetten. Sie haben nur am Freitag Zeit.

Stockwerk: *1. Stock*　　　　　　　　Zimmer:

Zeit:

3 Herr Selb möchte sich zu einem Spanischkurs anmelden. Er arbeitet von 8.00 bis 16.00 Uhr. Am Mittwoch hat er frei.

Stockwerk:　　　　　　　　　　　Zimmer:

Zeit:

4 Beate Sommer und Martin Groß wollen heiraten. Sie arbeiten immer von 7.30 bis 16.30 Uhr.

Stockwerk:　　　　　　　　　　　Zimmer:

Zeit:

das Amt, "-er ....

die Behörde, -n ....

die Bundesagentur ....
für Arbeit

die Familienkasse ....

das Standesamt, "-er ....

die Kfz-Zulassungsstelle,-n ....

der Warteraum, "-e ....

heiraten ....

an}melden ....

ab}melden ....

beantragen ....

das Kindergeld, Sg. ....

die Berufsberatung, -en ....

das Bürgeramt, "-er ....

das Ausländeramt, "-er ....

das Visum, Visa ....

verlängern ....

A Bei der Meldestelle

die Meldestelle, -n ....

die Gemeinde, -n ....

das Geburtsdatum, -daten ....

der Geburtsort, -e ....

der Familienstand, Sg. ....

männlich ....

weiblich ....

berufstätig ....

die Staatsangehörigkeit, -en ....

geboren sein ....

das Datum, Daten ....

der Einzug, Sg. ....

die Hauptwohnung, Sg. ....

der/die Vermieter/in, ...
-/-nen

mieten ....

um}ziehen ....

B Einen Antrag stellen

der Antrag, "-e ....

einen Antrag stellen ....

die Eigentumswohnung, -en ....

gehören ....

wem gehört …? ....

ein Formular ausfüllen ....

verstehen ....

der/die Sachbearbeiter/in, ...
-/-nen

der Tipp, -s ....

die Informationsbroschüre, ...
-n

danken ....

nett ....

C Können Sie mir helfen?

Verzeihung ....

die Kursgebühr, -en ....

die Wartenummer, -n ....

der Eingang, "-e ....

erklären ....

Herzlichen Dank! ....

D Was braucht man für …?

die Geburtsurkunde, -n ....

der Pass, "-e ....

der Mietvertrag, "-e .... der Ring, -e ....

die Gehaltsabrechnung, -en .... das Fest, -e ....

der Kindergeldantrag, "-e ....

der Arztbesuch, -e ....

die Hochzeit, -en ....

1 **Auf dem Amt. Welche Verben passen? Ergänzen Sie.**

  1 Guten Tag, ich möchte einen Antrag .... (stellen/machen)

  2 Kann ich hier Kindergeld ....? (beantragen/bestellen)

  3 Ich möchte meine Wohnung .... (anmelden/angeben)

  4 Können Sie bitte das Formular ....? (einfüllen/ausfüllen)

  5 Kann ich hier meinen Pass ....? (verlängern/anmelden)

Lerntipp
Lernen Sie Nomen und Verben immer zusammen.

2 **Behördensprache. Schreiben Sie die Wörter in das Formular.**

Familienname • Familienstand • ~~Vorname~~ • Straße und Hausnummer •
Gemeinde • Geburtsort • PLZ • Geburtsdatum • Staatsangehörigkeit

Anmeldebestätigung

	Vorname	
Hadimitriou	*Georgios*	
Parkstr. 7	*99096*	*Erfurt*
23.7.1986	*Athen*	*griechisch*
	berufstätig	männl. weibl.
verheiratet	Ja X Nein	X

3 **Wörter hören und nachsprechen. Hören Sie zu und sprechen Sie nach.** (2.30)

  1 das Bürgeramt – die Meldestelle – das Ausländeramt
  2 der Geburtsort – das Geburtsdatum – der Familienstand – die Staatsangehörigkeit
  3 der Mietvertrag – der Kindergeldantrag – die Kursgebühr

4 Behördenalltag. Lesen Sie die Sätze A–I und die Sätze 1–9.
Was passt? Ordnen Sie zu.

1 Das war am 14. Oktober, also vor 10 Tagen.

2 Wartenummern finden Sie rechts am Eingang.

3 Sie ist in Zimmer 313.

4 Ich möchte den Französischkurs A2 machen

5 Dann brauche ich zuerst Ihren Pass.

6 Ja natürlich, gerne.

7 Dann brauche ich Ihren Mietvertrag und eine Gehaltsabrechnung.

8 Einen Moment, die muss ich noch holen.

9 Wir haben noch am 21. oder 22. Dezember Termine frei. Passt
Ihnen zum Beispiel der 22. Dezember um 11?

5 Hören Sie die Minidialoge und kontrollieren Sie mit der CD.

2.31–38

6 Hören Sie die Dialoge noch einmal und sprechen Sie nach.

2.31–38

7 Spielen Sie Minidialoge.

Station

3

1   Lesen Sie und ergänzen Sie in A–H.

✓	✗		**Ich kann auf Deutsch**
☐	☐	**A**	Körperteile benennen.

| ☐ | ☐ | **B** | einen Termin machen. |

- Praxis Dr. Klett, Anne Heilmann, guten Tag.

- Guten Tag, mein .... ist Smith. Ich hätte gern einen ....

- Ja, können Sie am Mittwoch um 15.30 Uhr?

- Nein, am Mittwoch .... ich nicht. Geht es am Freitag?

- Ja, um 10 Uhr.

- Ja, das .... Vielen .... Auf ....

| ☐ | ☐ | **C** | über Krankheiten sprechen. |

- Wie geht es Ihnen?

- Danke, nicht so .... Mein Hals

    .... und ich

    habe ....

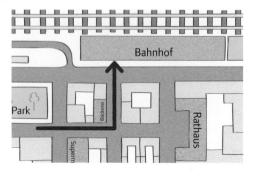

| ☐ | ☐ | **D** | nach dem Weg fragen und den Weg beschreiben. |

- Entschuldigung, wie .... ich zum Bahnhof?

- Gehen Sie .... und an der

    zweiten .... nach

    .... Dort ist der Bahnhof.

- Vielen Dank!

E   über früher und heute sprechen.   ☐ ☐

> bin • bin • habe … gesprochen • war • wohne • habe … gemacht

Antonio Souza erzählt:

Früher _____ ich Lehrerin von Beruf. Heute _____ ich Sekretärin

bei Siemens. Ich _____ seit 2006 in Deutschland und ich _____

seit 2011 in Berlin. Am Anfang _____ ich kein Deutsch _____.

Dann _____ ich einen Deutschkurs _____.

F   erzählen, was ich gestern / am Wochenende gemacht habe.   ☐ ☐

- Was haben Sie am Wochenende gemacht?

- Am Samstag _____ ich Lebensmittel _____. Am Abend

  _____ wir einen Film im Kino _____. Und am Sonntag

  _____ wir nach Nürnberg _____.

G   Formulare mit Angaben zu meiner Person verstehen und ausfüllen.   ☐ ☐

Vorname	Familienname
Straße	Wohnort
Familienstand	Staatsangehörigkeit

H   um Hilfe bitten und sich dafür bedanken.   ☐ ☐

> Verkäufer • Entschuldigung •
> danke • verstehe • helfen

- _____, können Sie mir

  _____? Ich _____ das
  Wort berufstätig nicht.
- Haben Sie eine Arbeit?

- Ja, ich bin _____.
- Dann sind Sie berufstätig.

- Ich _____ Ihnen.

2   Kontrollieren Sie mit den Lösungen und markieren Sie ✓ für *kann ich* und ✗ für *kann
ich nicht so gut.*

Im Kaufhaus

1 **Kleidung. Was ist das? Schreiben Sie die Wörter mit Artikel und Plural.**

der Anzug, "-e

2a **Singular oder Plural? Ergänzen Sie *gefallen* oder *gefällt*.**

1 Der Anzug auf Foto 1 .... mir überhaupt nicht. Er ist altmodisch.

2 Die Schuhe auf Foto 1 .... mir gut. Ich finde sie schick.

3 Die Jacke auf Foto 2 .... mir gut. Sie ist elegant.

4 Der Rock auf Foto 2 .... mir nicht so gut. Ich finde ihn langweilig.

2b **Wie finden Sie die Kleidung auf Foto 3? Schreiben Sie Sätze wie in 2a.**

Die Jeans links gefällt mir ... .

....

....

3 **Mir, dir oder Ihnen? Lesen Sie die Dialoge und ergänzen Sie die Sätze.**

1 ● Anne, wie gefällt .... das Kleid? ● Hm, nicht so. Aber der Rock gefällt .... gut.

2 ● Guten Tag, Frau Müller, wie geht es ....? ● Danke, gut und ....?

3 ● Können Sie .... bitte helfen? ● Ja, gern. ● Ich danke ....

A Kleidung kaufen

4a Ergänzen Sie den Dialog.

> Mein Sohn mag Grün nicht. • Elf Jahre. • Ja, ich suche eine Hose.
> Haben Sie Hosen für Jungen? • Ja, die ist gut. Die nehme ich.

- Guten Tag, kann ich Ihnen helfen?

- ....

- Wie alt ist der Junge?

- ....

- Hosen für Jungen sind hier. Wie gefällt Ihnen die grüne Hose?

- ....

- Dann vielleicht die graue Hose hier?

- ....

4b Ordnen Sie den Dialog. Kontrollieren Sie dann mit der CD.
2.39

- ☐ Ja, gern. Ich suche einen Rock.
- ☐ Dann nehme ich die schwarzen Socken und den roten Rock.
- ☐ Ja, hier. Die schwarzen Socken sind im Angebot.
- ☐ Der ist nicht schlecht, den nehme ich. Haben Sie auch Socken?
- ☑ Guten Tag, kann ich Ihnen helfen?
- ☐ Röcke haben wir hier. Wie finden Sie den roten Rock?

> • Guten Tag,
>   kann ich Ihnen
>   helfen?
> • ...

5 Im Kleidergeschäft. Ergänzen Sie den Dialog.

> brauchen • suche • helfen • nehme • nehme • finden • anprobieren • gefällt

- Können Sie mir ....?

- Ja, gern. Was .... Sie?

- Ich .... einen Pullover und einen Rock.

- Pullover sind hier. Wie .... Sie den roten Pullover?

- Super, der .... mir gut, den .... ich. Und

  kann ich den schwarzen Rock ....?

- Ja, natürlich. Hier ist die Umkleidekabine.

- Ja, der Rock ist gut. Den .... ich auch.

6 Nominativ und Akkusativ. Ergänzen Sie die Endungen.

Nominativ	Akkusativ
1 Der blau....... Mantel gefällt mir gut.	Ich nehme den blau....... Mantel.
2 Das weiß....... Hemd ist elegant.	Ich möchte auch das weiß....... Hemd.
3 Die lang....... Hose ist bequem.	Ich finde die lang....... Hose gut.
4 Die schwarz-weiß....... Socken sind cool.	Ich nehme die schwarz-weiß....... Socken.

🔊 2.40

7 Ergänzen Sie die Endungen. Kontrollieren Sie dann mit der CD und sprechen Sie nach.

1 ● Wir suchen ein Regal.

● Wie finden Sie das schwarz....... Regal?

● Das schwarz....... Regal finde ich gut. Aber das weiß.......
ist auch nicht schlecht. Was kosten die Regale?

● Das schwarz....... Regal und das weiß....... Regal kosten 122 Euro.

● Gut, dann nehme ich das weiß....... Regal.

2 ● Guten Tag, ich suche eine Lampe.

● Kommen Sie bitte mit. Lampen sind hier.

Wie finden Sie die klein....... Lampe hier?

● Ja, die klein....... Lampe ist interessant, die nehme ich.

3 ● Entschuldigen Sie, ich brauche einen Tisch.

● Wie finden Sie den braun....... Tisch?

● Nein, ich suche einen Tisch für ein Kinderzimmer.

● Wie gefällt Ihnen der klein....... rot....... Tisch?

● Gut. Ja, ich nehme den klein....... Tisch.

4 ● Und ich brauche auch noch Stühle.

● Stühle haben wir hier. Wie finden Sie die weiß....... Stühle?

● Na ja, der Tisch ist rot, ich nehme lieber die rot....... Stühle. Danke.

8 Adjektiv mit Endung oder ohne Endung? Was passt? Ergänzen Sie die Sätze.

1 ● Die .... Schuhe sind super. Kann ich die anprobieren?   (rot/roten)

● Ja, natürlich. Die sind auch sehr ....   (bequem/bequemen)

2 ● Das grüne Sweatshirt finde ich ....   (schön/schöne)

● Wirklich? Mir gefällt das .... Sweatshirt.   (schwarz/schwarze)

● Und wie findest du das .... Sweatshirt?   (blau/blaue)

9a Wo kaufen die Personen ein? Hören Sie und ordnen Sie zu.

2.41

auf dem Flohmarkt

im Kaufhaus

im Internet

Rolf Schubeck:

Karin Tönges:

Denise Berger:

....

9b Hören Sie noch einmal und kreuzen Sie an: Richtig oder falsch?

2.41

	R	F
1 Karin Tönges kauft Kleidung für die Kinder in Boutiquen.	☐	☐
2 Karin Tönges kauft gerne Sonderangebote im Schlussverkauf.	☐	☐
3 Herr Schubeck findet Einkaufen interessant.	☐	☐
4 Frau Schubeck kauft die Kleidung für ihren Mann.	☐	☐
5 Denise Berger geht gerne shoppen.	☐	☐
6 Denise Berger hat viel Geld.	☐	☐

10 Fragen mit *welcher, welches, welche, welchen*. Ergänzen Sie die Dialoge.

1 • Der Mantel ist schick. • .... Mantel? Der lange oder der kurze Mantel?

2 • Ich nehme den Mantel. • .... Mantel? Den braunen oder den schwarzen Mantel?

3 • Das Sweatshirt ist cool. • .... Sweatshirt? Das rote Sweatshirt?

4 • Die Bluse ist elegant. • .... Bluse? Die weiße oder die schwarze Bluse?

5 • Die Schuhe sind bequem. • .... Schuhe? Die braunen?

11 Welch-? Schreiben Sie Fragen zu den Antworten.

1 • .... • Ich nehme den blauen Pullover.

2 • .... • Der schwarze Pullover gefällt mir gut.

3 • .... • Das rote T-Shirt ist super.

4 • .... • Die braunen Schuhe sind teuer.

5 • .... • Die neue Brille von Julia ist schick.

12 Textkaraoke. Hören, lesen und sprechen Sie die 👄-Rolle im Dialog.

👂 …

👄 Ja, ich suche einen Mantel.

👂 …

👄 Kann ich den weißen Mantel anprobieren?

👂 …

👄 Ach nein, der gefällt mir nicht. Haben Sie auch Jacken?

👂 …

👄 Gelb? Nein, ich möchte die braune Jacke anprobieren.

👂 …

👄 Ach nein, die gefällt mir auch nicht.

👂 …

👄 Nein, danke. Ich gehe erst mal einen Kaffee trinken.

B   Im Kaufhaus einkaufen

13 Lange Wörter (Komposita). Welche Wörter sind das? Schreiben Sie.

die   *Dame*   + ... =
.... *n*

das   *Leder*   + ... =
....

das   *Baby*   + ... =
....

14 Welche Wörter sind in den Wörtern? Schreiben Sie. Ergänzen Sie auch den Plural.

1 die Kinderhose → *das Kind, die Kinder* + *die Hose, die Hosen*

2 der Herrenmantel → .... + ...

3 die Hausnummer → .... + ...

4 die Handynummer → .... + ...

5 der Familienname → .... + ...

6 der Kinderarzt → .... + ...

7 das Ausländeramt → .... + ...

8 die Kursgebühr → .... + ...

15 Welche Reaktion ist richtig? Hören Sie die Fragen und kreuzen Sie an.

2.43

1 ☐ **A** Ja, ich suche Schuhe.
  ☐ **B** Nein, ich kann es auch nicht.
  ☐ **C** Ja, ich helfe Ihnen.

2 ☐ **A** Im 2. Stock.
  ☐ **B** Gut.
  ☐ **C** Danke, nein.

3 ☐ **A** Die Kasse ist im Erdgeschoss.
  ☐ **B** Das ist sehr teuer.
  ☐ **C** Wie viel kostet das?

4 ☐ **A** Morgen haben wir geöffnet.
  ☐ **B** Nein, jetzt haben wir geschlossen.
  ☐ **C** Bis 20 Uhr.

16 Im Kaufhaus. Ergänzen Sie den Dialog.

> Okay. Die Bluse ist aber zu groß. Haben Sie die auch in 42? • Ja, haben Sie diese Bluse auch in Schwarz? • Danke. Ich gehe noch einmal in die Umkleidekabine. •
> Ja, die Bluse in 42 ist gut, die nehme ich. Wo ist die Kasse?

● Kann ich Ihnen helfen?

○ ....

● Nein, tut mir leid, nur in Blau. Möchten Sie die blaue Bluse anprobieren?

○ ....

● Ja, hier ist die Bluse in Größe 42.

○ ....

● Und, gefällt sie Ihnen?

○ ....

● Die Kasse ist im Erdgeschoss.

17 Schreiben Sie Minidialoge zu den Bildern.

1 Wo? – im Erdgeschoss hinten links

○ *Entschuldigung, wo finde ich Damenschuhe?*

● *Damenschuhe sind im Erdgeschoss hinten links.*

2 Wo? – Da vorne rechts.

○ ....

● ....

3 In Größe 40? – nur noch in Größe 42.

○ ....

● ....

MO-FR: 7.30-19.00
SA: 7.30-18.00

4 Wie lange? – Mo.-Fr. bis 19 Uhr, Sa. bis 18 Uhr.

○ ....

● ....

18a Schreiben Sie die Preise und lesen Sie laut.

9,50 €   44,90 €   19,99 €

1 .... 2 .... 3 ....

18b Hören Sie und kreuzen Sie an: Was ist richtig?
2.44

1 Wie viel kostet der schwarze Pullover?
   A ☐ 24,50 €
   B ☐ 24,90 €
   C ☐ 34,50 €

2 Welche Größe hat die Frau?
   A ☐ Größe 40
   B ☐ Größe 42
   C ☐ Größe 44

19 Zahlen wiederholen. Was ist das? Hören Sie und verbinden Sie die Zahlen.
2.45

20a Schreibtraining. Welche Wörter schreibt man zusammen? Korrigieren Sie (9 Fehler).

Fehler +++ Fehler +++ Fehler

Ich habe heute einen Winter mantel gekauft. Ich bin nach dem Deutsch kurs zum Kauf haus in der Stadt mitte gegangen. In der Damen abteilung ist in dieser Woche Winter schluss verkauf. Für meinen Sohn habe ich auch eine Winter hose gekauft und ein Computer spiel.

20b Diktat. Hören Sie die Sätze und schreiben Sie in Ihr Heft.
2.46

21a Eine Bestellung im Internet. Lesen Sie die Rechnung. Was hat Frau Gül bestellt?
Kreuzen Sie an.

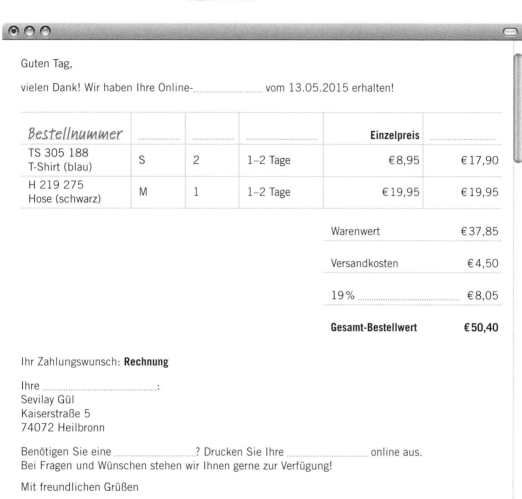

Guten Tag,

vielen Dank! Wir haben Ihre Online-........................... vom 13.05.2015 erhalten!

Bestellnummer	....	....	....	**Einzelpreis**	....
TS 305 188 T-Shirt (blau)	S	2	1–2 Tage	€8,95	€17,90
H 219 275 Hose (schwarz)	M	1	1–2 Tage	€19,95	€19,95

Warenwert	€37,85
Versandkosten	€4,50
19%	€8,05
Gesamt-Bestellwert	**€50,40**

Ihr Zahlungswunsch: **Rechnung**

Ihre ....:
Sevilay Gül
Kaiserstraße 5
74072 Heilbronn

Benötigen Sie eine ....? Drucken Sie Ihre .... online aus.
Bei Fragen und Wünschen stehen wir Ihnen gerne zur Verfügung!

Mit freundlichen Grüßen

Ihr Mode-Online-Team

21b Lesen Sie die Rechnung noch einmal und ergänzen Sie die Wörter.

> ~~Bestellnummer~~ • Größe • Gesamtpreis • Rechnungsadresse • Rechnung •
> Rechnung • Bestellung • Menge • Lieferzeit • Mwst. (Mehrwertsteuer)

21c Lesen Sie die Rechnung noch einmal und beantworten Sie die Fragen.

1 Wann hat sie bestellt?
2 Wie viel muss sie bezahlen?
3 Wie viel kostet die Lieferung?

das Kaufhaus, "-er ....

der Anzug, "-e ....

das Hemd, -en ....

die Hose, -n ....

das Kleid, -er ....

der Mantel, "- ....

der Pullover, - ....

der Rock, "-e ....

der Schuh, -e ....

die Jeans, - ....

das T-Shirt, -s ....

das Sweatshirt, -s ....

die Bluse, -n ....

die Socke, -n ....

die Unterwäsche, Sg. ....

gefallen ....

Gefällt dir das Kleid? ....

die Kleidung, Sg. ....

schick ....

altmodisch ....

gar nicht ....

überhaupt (nicht) ....

komisch ....

A Kleidung kaufen

aus}sehen ....

passen ....

Die Schuhe passen nicht. ....

an}probieren ....

die Umkleidekabine, -n ....

der Secondhandladen, "- ....

der Flohmarkt, "-e ....

die Boutique, -n ....

günstig ....

teuer ....

angenehm ....

stressig ....

kompliziert ....

cool ....

an}ziehen ....

welcher, -s, -e ....

B Im Kaufhaus einkaufen

das Computerspiel, -e ....

der Schmuck, Sg. ....

die Toilette, -n ....

der Ausgang, "-e ....

die Größe, -n ....

eine Hose in Größe M ....

nach}sehen ....

die Abteilung, -en ....

hinten, dort hinten ....

vorne, da vorne ....

direkt neben ....

die Rolltreppe, -n ....

das Mädchen, - ....

der gleiche Preis ....

Tut mir leid. ....

der Vorteil, -e ....

der Nachteil, -e ....

1 Was tragen Sie gerne und was tragen Sie nicht gerne? Schreiben Sie je drei Kleidungsstücke mit Artikel.

☺ ....

😐 ....

☹ ....

2a Ordnen Sie die Gegenteile zu.

1 angenehm		**A** uncool
2 modern		**B** teuer
3 unkompliziert		**C** stressig
4 günstig		**D** langweilig
5 bequem		**E** altmodisch
6 interessant		**F** kompliziert
7 cool		**G** unbequem

2b Lesen Sie die Kombinationen laut.

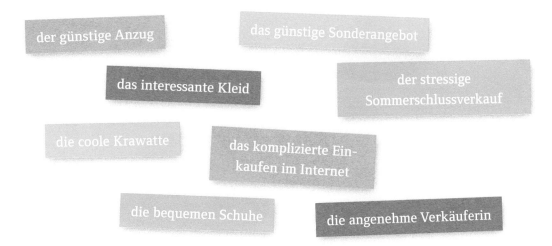

der günstige Anzug

das günstige Sonderangebot

das interessante Kleid

der stressige Sommerschlussverkauf

die coole Krawatte

das komplizierte Einkaufen im Internet

die bequemen Schuhe

die angenehme Verkäuferin

3 Sie möchten Kleidung kaufen. Sammeln Sie wichtige Wörter und Sätze.

Kleidung einkaufen
Entschuldigung, wo
gibt es Jeans?

Kleidung einkaufen
Ich habe Größe M.

> **!**
> **Lerntipp**
> Sammeln Sie wichtige Sätze zu einem Thema und lernen Sie die Sätze auswendig.

🔊 **4** Wörter hören und nachsprechen. Hören Sie zu und sprechen Sie nach.
2.47

1 das T-Shirt – das Sweatshirt – die Jeans

2 die Boutique – der Secondhandladen – die Umkleidekabine

3 stressig – kompliziert – bequem – günstig – cool

1

....

2

....

3

....

4

....

9

....

10

....

11

....

12

das Jackett -s ....

17

....

18

....

19

....

20

....

25

....

26

der Anorak, -s ....

27

der Hut, "-e ....

28

die Kappe, -n ....

5 Ergänzen Sie die Wörter mit Artikel und Plural.

🔊 **6** Hören Sie die neuen Wörter und sprechen Sie nach.
2.48

7 Wie sind die Kleidungsstücke? Sagen Sie zu jedem Bild einen Satz.

> modern • schick • elegant • bequem • schön • bunt • rot • dunkelrot •
> blau • hellblau • praktisch • langweilig • hässlich • altmodisch • …

> Die Sportschuhe sind modern.

> Ich finde das Hemd langweilig.

> Das Sweatshirt ist dunkelrot und schwarz.

die Mütze, -n

der Stiefel, -

die Sandale, -n

der Sportschuh, -e

der Strumpf, "-e

die Strumpfhose, -n

der Schal, -s

der Handschuh, -e

die Regenjacke, -n

der Regenschirm, -e

die Jogginghose, -n

8 Artikel üben. Arbeiten Sie zu zweit. A fragt, B schließt die Augen und antwortet.

Rock

der Rock

9 Kofferpacken – ein Spiel. Spielen Sie mit zwei oder mehr Personen. Machen Sie den Satz immer länger. Wer kann sich die meisten Kleidungsstücke merken?

Ich packe meinen Koffer und nehme ein T-Shirt mit.

Ich packe meinen Koffer und nehme ein T-Shirt und einen Hut mit.

Ich packe meinen Koffer und nehme ein T-Shirt, einen Hut und ... mit.

Auf Reisen

1 Was ist das? Schreiben Sie die Wörter mit Artikel und Plural in die Zeichnung.

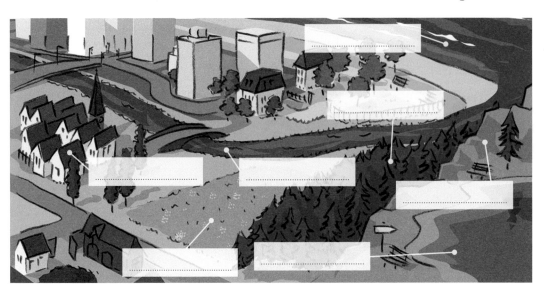

2a Wo kann man Urlaub machen? Ergänzen Sie.

| am • am • am • auf dem • im • im • im • in den • in der |

1 .... Bergen **4** .... Wald **7** .... Meer

2 .... Dorf **5** .... See **8** .... Stadt

3 .... Bauernhof **6** .... Strand **9** .... Park

2b Lesen Sie den Dialog und ergänzen Sie die Präpositionen und Artikel.

● Wo waren Sie schon im Urlaub?

● Ich liebe das Wasser. Ich war schon oft .... Meer. Ich liege gern .... Strand und faulenze. Und Sie?

● Ich war einmal .... Bauernhof. Ich bin .... Bergen gewandert. Und ich war schon oft in Köln, ich bin gern .... Stadt. Da kann ich einkaufen und .... Park spazieren gehen.

3 Wo machen Sie gern Urlaub? Was kann man dort machen? Schreiben Sie.

....

....

....

....

A Unterwegs mit dem Zug

4 Eine Fahrkarte kaufen. Ergänzen Sie den Dialog.

> Wie viel kostet eine Fahrkarte für die erste Klasse? • Guten Tag, ich brauche eine
> Fahrkarte von Hannover nach Emden. • Oh, das ist teuer. Dann nehme ich eine
> Fahrkarte für die zweite Klasse. • Ja, bitte für den Zug um 8.45 Uhr.

● ....

● Erste oder zweite Klasse?

● ....

● 80 Euro.

● ....

● Mit Reservierung?

● ....

● Eine Fahrkarte von Hannover nach Emden mit Reservierung. Das macht 49 Euro.

◀)) 2.49
5 Durchsagen. Was ist richtig? Hören Sie und kreuzen Sie an.

1 Der Regionalexpress fährt heute
  A ☐ später ab.
  B ☐ von Gleis vier.
  C ☐ von Gleis 22.

2 Der ICE
  A ☐ fährt nach Stuttgart.
  B ☐ kommt von Kassel.
  C ☐ fährt nach Hamburg.

◀)) 2.50
6 Textkaraoke. Hören, lesen und sprechen Sie die 👄-Rolle im Dialog.

👂 …

👄 Guten Tag. Ich hätte gern eine
  Fahrkarte von Köln nach Freiburg.

👂 …

👄 Ich möchte morgen früh fahren.
  Ab 8 Uhr.

👂 …

👄 Muss ich umsteigen?

👂 …

👄 Zweite Klasse, bitte.

👂 …

👄 Ja, ich habe eine BahnCard 25.

👂 …

👄 Ja, mit Reservierung, bitte.

👂 …

👄 Kann ich mit EC-Karte bezahlen?

👂 …

7a Mit dem Zug fahren. Ergänzen Sie die Fragen.

> … Tunnel gefahren? • … die Fahrt gedauert? • … umgestiegen? •
> … mit dem Zug gefahren? • … Sie dort geblieben?

1 Wohin sind Sie zuletzt _____

2 Wie lange sind _____

3 Sind Sie _____

4 Wie lange hat _____

5 Sind Sie auch durch _____

7b Beantworten Sie die Fragen für sich. Schreiben Sie die Antworten in Ihr Heft.

8 Ordnen Sie die Sätze den Bildern zu und ergänzen Sie *um* und *durch*.

1 Die Wanderer gehen _____ den Berg.   **3** Sie laufen _____ den kalten Fluss.

2 Der Radfahrer fährt _____ den Park.   **4** Er fährt _____ das kleine Dorf.

9 Was macht die Katze? Schreiben Sie Sätze.

1 um – der Baum – laufen   *Die Katze läuft* _____

2 durch – das Fenster – springen   *Sie springt* _____

3 durch – die Küche – laufen   _____

4 um – der Tisch – laufen   _____

B   Das Wetter

10   Was passt? Ordnen Sie die Sätze zu.

> Es schneit. • Es ist heiß. • Es ist nass. • Es regnet. • Es ist bewölkt. •
> Die Sonne scheint. • Es ist windig. • Es ist bewölkt • Es ist sonnig. • Es ist kalt.

....

....

....

11   Das Pronomen *es*. Schreiben Sie Sätze.

1 ist – es – warm – Heute   ....

2 es – bewölkt – Gestern – war   ....

3 In der Nacht – geschneit – es – hat   ....

4 regnet – es – Vielleicht – morgen   ....

5 ist – Es – kalt und windig   ....

6 hat – Gestern – es – auch – geregnet   ....

◀))
2.51

12   Hören Sie. Wie ist das Wetter heute? Wie war es gestern? Schreiben Sie.

> Heute ist …   Gestern …

13a   Welche Himmelsrichtung ist das? Ergänzen Sie.

Norden / im Norden ....

Nordwesten / im Nordwesten ....

....

....

....

13b Wo liegt …? Schreiben Sie Sätze wie im Beispiel.

1 *Erfurt liegt in der Mitte.*

2 ....

3 ....

4 ....

5 ....

Kiel

Frankfurt an der Oder

Aachen

Erfurt

Konstanz

13c Wie ist das Wetter in den Städten?
Schreiben Sie.

Im Norden / In Kiel regnet es.

14a Städte vergleichen. Ergänzen Sie *genauso … wie* oder *als*.

Stuttgart: 600.000 Einwohner

Düsseldorf: 600.000 Einwohner

Berlin: 3,5 Millionen Einwohner

Bonn: 330 000 Einwohner

Bonn: viel Regen

Berlin: wenig Regen

Rita mag Stuttgart.

Rita mag auch Düsseldorf.

1 Stuttgart ist .... groß .... Düsseldorf.

2 Berlin ist größer .... Bonn.

3 In Berlin gibt es weniger Regen .... in Bonn.

4 Sie möchte .... gerne nach Stuttgart .... nach Düsseldorf.

14b Komparativ. Ergänzen Sie die Adjektive.

1 *kalt* – kälter

2 .... – wärmer

3 .... – kürzer

4 .... – länger

5 .... – heller

6 .... – schwieriger

7 groß – ....

8 klein – ....

9 interessant – ....

10 gut – ....

11 viel – ....

12 gern – ....

15 Vergleichen Sie und schreiben Sie die Sätze in Ihr Heft.

1 Deutschland – China: groß

2 der Mond – die Sonne : hell

3 Regen – Schnee: kalt

4 Erfurt (18°) – Passau (25°): warm

5 ich – Reis essen – Nudeln essen: gern

C   Die Jahreszeiten

16a Wie heißen die Monate? Ergänzen Sie.

Deutschkurs A1				Deutschkurs A2	
Januar	....	....	....	**Mai**	....
Deutschkurs B1	Ferien	Deutschkurs B1		Deutschkurs B2 (bis Januar)	
....	**August**	....	....	....	**Dezember**

16b Wann finden die Kurse statt? Ergänzen Sie die Dialoge.

1 ● Wann machst du den Deutschkurs A1?

   ● Der Kurs beginnt im Januar und endet im ....

2 ● Fängt der Deutschkurs A2 im März an?

   ● Nein, er fängt im .... an und endet im ....

3 ● Entschuldigung, wann ist der Deutschkurs B1?

   ● Er beginnt im .... Im .... sind aber Ferien und der Kurs geht im

   .... weiter.

17 Lesen und ergänzen Sie. Kontrollieren Sie dann mit der CD.
2.52

> Regen • sitzen • scheint •
> lang • heiß • hell • kalt

> Schnee • regnet •
> schneit • kalt • dunkel

Sommer **und** *Winter* **in Deutschland**

Im Sommer ist es in Deutschland oft

.... und die Son-

ne .... Aber es

gibt auch .... und manchmal ist

es .... Im Sommer sind die Tage

.... , am Abend bleibt es lange

.... Man kann gut auf der Straße

in einem Café ....

Im Winter ist es .... und oft

.... es. Dann sind die Städte und Dörfer ganz weiß. Von November bis Februar sind die Tage sehr kurz, es

ist am Abend schon früh ....

Die Kinder mögen den .... Sie spielen draußen und machen einen Schneemann. Manchmal ist es im Winter auch nicht so kalt und es

....

18 Vergleichen Sie die Monate und Jahreszeiten. Schreiben Sie Sätze.

1 Juni/Januar: die Tage lang sein   *Im Juni sind die Tage länger als ...*

2 Winter/Sommer: die Tage kurz sein

3 Juli/Dezember: die Abende hell sein

4 Sommer/Winter: die Sonne viel scheinen

D   Urlaub

19a Was passt? Ergänzen Sie die Verben.

> gehen • treffen • besichtigen • machen • übernachten • besuchen

1 ein Konzert ....   4 auf dem Campingplatz ....

2 eine Stadt ....   5 spazieren ....

3 eine Radtour ....   6 Freunde und Verwandte ....

19b Was ist für Sie wichtig im Urlaub? Besichtigen Sie gerne eine Stadt oder lieben Sie Urlaub auf dem Land? Machen Sie gerne Aktivurlaub? Schreiben Sie in Ihr Heft.

20a Schreibtraining. Auf Endungen achten. Hören Sie genau zu und ergänzen Sie die Endungen.

1 der wunderschön.......... Urlaub   5 um den schön.......... See wandern

2 der hoh.......... Berg   6 die warm.......... Sonne

3 die interessant.......... Großstadt   7 das nasskalt.......... Wetter

4 durch den lang.......... Tunnel fahren   8 die preiswert.......... Übernachtung

20b Vier Endungen fehlen. Hören Sie genau zu und korrigieren Sie.

Der Urlaub war wunderschön........ und das Wetter war fantastisch........ Zuerst sind wir mit

dem Zug nach München gefahren. Die Fahrt war interessant........ In Prien am Chiemsee

haben wir dann das preiswert........ Hotel *Seeblick* gefunden. Die Zimmer waren gemütlich........,

aber sehr klein........ Am nächsten Tag haben wir eine Wandertour um den wunderschön........

See gemacht und sind auf einen Berg gestiegen. Oben war es windig........ und wir haben den

warm........ Pullover und die lang........ Jacke angezogen. Leider ist der Urlaub schon zu Ende,

wir sind wieder zu Hause und hier ist das Wetter nasskalt........ und windig........

21 Einen Urlaub planen. Lesen Sie die Situationen und die Anzeigen. Was passt? Ordnen Sie zu.

1 ☐ Herr und Frau Melcher, 74 Jahre, möchten eine Woche Urlaub machen. Sie lieben Musik.

2 ☐ Marko und Ilya haben eine Woche Urlaub. Sie sind sehr sportlich.

3 ☐ Familie Lefert hat drei kleine Kinder. Sie möchten einen Strandurlaub machen und mögen Tiere.

4 ☐ Frau Heinemann hat jetzt keinen Urlaub, aber sie macht gerne Städtetouren am Wochenende.

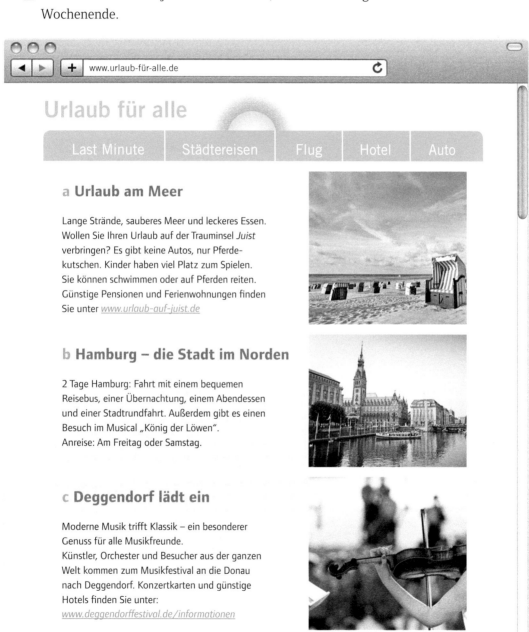

www.urlaub-für-alle.de

Urlaub für alle

| Last Minute | Städtereisen | Flug | Hotel | Auto |

a Urlaub am Meer

Lange Strände, sauberes Meer und leckeres Essen. Wollen Sie Ihren Urlaub auf der Trauminsel *Juist* verbringen? Es gibt keine Autos, nur Pferde-kutschen. Kinder haben viel Platz zum Spielen. Sie können schwimmen oder auf Pferden reiten. Günstige Pensionen und Ferienwohnungen finden Sie unter *www.urlaub-auf-juist.de*

b Hamburg – die Stadt im Norden

2 Tage Hamburg: Fahrt mit einem bequemen Reisebus, einer Übernachtung, einem Abendessen und einer Stadtrundfahrt. Außerdem gibt es einen Besuch im Musical „König der Löwen". Anreise: Am Freitag oder Samstag.

c Deggendorf lädt ein

Moderne Musik trifft Klassik – ein besonderer Genuss für alle Musikfreunde. Künstler, Orchester und Besucher aus der ganzen Welt kommen zum Musikfestival an die Donau nach Deggendorf. Konzertkarten und günstige Hotels finden Sie unter: *www.deggendorffestival.de/informationen*

d Alpen – Berchtesgardener Land

Klettern, Kanu fahren oder Drachenfliegen – im Berchtesgardener Land finden Sie viele Möglichkeiten für aktive Urlauber. Günstige Übernachtungen gibt es auf Campingplätzen oder in Pensionen.

die Reise, -n ....

der Berg, -e ....

der Bauernhof, "-e ....

der Wald, "-er ....

die Wiese, -n ....

das Meer, -e ....

der See, -n ....

der Strand, "-e ....

wandern ....

auf dem Land ....

A Unterwegs mit dem Zug

die Abfahrt ....

die Ankunft ....

die Reservierung, -en ....

die Erste/Zweite Klasse ....

ab{fahren ....

an{kommen ....

das Gleis, -e ....

die Verspätung, -en ....

die Landschaft, -en ....

fantastisch ....

die Brücke, -n ....

ungefähr ....

der Kilometer, - ....

übernachten ....

zurück{kommen ....

durch ....

um ....

B Das Wetter

das Wetter, Sg. ....

die Sonne, Sg. ....

Die Sonne scheint. ....

heiß ....

sonnig ....

der Regen, Sg. ....

regnen ....

nass ....

der Wind, -e ....

windig ....

die Wolke, -n ....

bewölkt ....

der Schnee, Sg. ....

schneien ....

der Norden, Sg. ....

der Osten, Sg. ....

der Süden, Sg. ....

der Westen, Sg. ....

20° (Grad) Celsius ....

genauso … wie ....

C Die Jahreszeiten

die Jahreszeit, -en ....

der Frühling ....

der Sommer ....

der Herbst ....

der Winter ....

der Monat, -e ....

der Januar	....	der November	....
der Februar	....	der Dezember	....
der März	....		
der April	....	**D Urlaub**	
der Mai	....	das Tier, -e	....
der Juni	....	der Campingplatz, "-e	....
der Juli	....	die Stadtrundfahrt, -en	....
der August	....	preiswert	....
der September	....	das Hotel, -s	....
der Oktober	....		....
			....

1 Sehen Sie sich das Bild eine Minute an. Decken Sie dann das Bild zu. Was ist auf dem Bild? Schreiben Sie.

das Dorf, ...

!

Lerntipp
Arbeiten Sie mit Bildern und spielen Sie im Kurs. Wer hat die meisten Wörter aufgeschrieben?

2 Gegenteile. Suchen Sie die Gegenteile in der Wortliste.

1 abfahren – .... 4 kalt – ....

2 die Ankunft – .... 5 teuer – ....

3 bewölkt – .... 6 genau – ....

3 Wörter hören und nachsprechen. Hören Sie zu und sprechen Sie nach.
2.55

1 die Ankunft – ankommen – die Abfahrt – abfahren – die Verspätung – zu spät

2 der Regen – es regnet – der Schnee – es schneit

3 das Wetter – die Monate – die Jahreszeiten

die Jahreszeiten

1 der **Frühling**

2 ....

3 ....

4 ....

5 die Sonne

Die Sonne scheint. ....

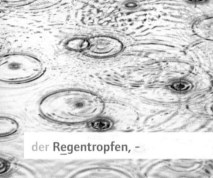

6 die ....

Es ist ....

7 Es ....

8 ....

Es ....

9 der **Regentropfen**, -

4 Ergänzen Sie die Wörter.

🔊 **5** Hören Sie die Wörter und Sätze und sprechen Sie nach.
2.56

6 Was passt zu welcher Jahreszeit? Sagen Sie Sätze wie im Beispiel.

> Im Winter ist es oft glatt.

> Im Herbst braucht man oft einen Regenschirm.

> Im Frühling regnet es manchmal.

das Glatteis

Es ist glatt.

der Nebel

Es ist neblig.

der Hagel

Es hagelt.

....

Es ist ....

der Sturm, "-e

Es stürmt.

das Gewitter, -

der Blitz, -e

der Donner

Es blitzt und donnert.

die Kälte

Es ist ....

die Hitze

Es ist trocken.

7a Was macht man wann? Ordnen Sie zu. Es gibt mehrere Möglichkeiten.

> Man kann Fahrrad fahren. • Man bleibt lieber zu Hause. • Man kann Ski fahren. •
> Man kann eine Kanutour machen. • Man kann gut spazieren gehen. •
> Man kann gut schwimmen gehen. • Man isst gerne ein Eis.

7b Sprechen Sie wie im Beispiel.

> Ich mag den Winter.
> Dann kann man Ski fahren.

> Im Winter bleibe ich lieber zu Hause.
> Oft sind die Straßen sehr glatt.

1a Im Haus und vor dem Haus. Schreiben Sie die Wörter mit Artikel.

1 .... H......sn......mm..........

2 .... K......nd......rw......g......n

3 .... Tr......pp..........

4 .... M......llt......nn..........

5 .... H......nd

6 .... Kl......ng......l

1b Das neue Haus. Ergänzen Sie.

> neben mir •
> links • Mietshaus •
> ~~im zweiten Stock links~~ •
> rechts • im ersten
> Stock • im Erdgeschoss
> links • rechts

Ich wohne in einem .... Meine Wohnung ist

im zweiten Stock links. .... wohnt eine Familie aus Kuba. Sie

heißt Garcia. .... ist ein Friseur und ....

ist eine Bäckerei. .... sind Büros. .... ist

die Immobilienfirma Heinz und .... ist das Büro von der Firma
ArtDesign.

2a 🔊 2.57 Wer wohnt wo? Hören Sie und ordnen Sie die Namen zu.

> Jordan • Anne und Mirja •
> ~~René Zinke~~ • Neuer • Röder • Semra

René
Zinke

2b 🔊 2.57 Hören Sie noch einmal und korrigieren Sie die
falschen Sätze.

1 Familie Jordan hat drei Kinder.
2 Herr Zinke findet Frau Jordan nicht nett.
3 Herr Zinke kennt die Familie Neuer sehr gut.
4 Herr Röder wohnt im Erdgeschoss links.

3a Unser Haus. Was ist wo? Sehen Sie das Bild in 3b an und beantworten Sie die Fragen.

1 Was ist auf dem Dach? *Auf dem Dach ist eine Katze.*

2 Was ist vor dem Haus? ....

3 Was ist links neben dem Haus? ....

4 Was ist rechts neben dem Haus? ....

5 Was ist unter dem Balkon? ....

6 Wer ist auf dem Balkon? ....

3b Ergänzen Sie die Präpositionen und Artikel.

> Auf dem • Auf der •
> Neben dem • Im • Im • Im • Im •
> über • unter • Vor dem

.... Haus ist eine Straße.

.... Straße fahren und parken

viele Autos.

.... Haus ist ein Spielplatz.

.... Spielplatz spielen viele

Kinder. .... Haus wohnen viele Leute.

.... zweiten Stock wohnt Familie

Pfeiffer. .... Dachgeschoss ....

Familie Pfeiffer wohnen Herr und Frau Park.

.... ersten Stock .... Familie Pfeiffer wohnt Familie Erfani.

4 Fragen zum Thema Wohnen. Schreiben Sie Fragen.

Wohnung?

Nachbarn?

Miete?

Aufzug?

Balkon/Terrasse?

Wie viele Zimmer hat Ihre Wohnung? ....

....

....

....

5 Wo wohnen Sie? Wer wohnt in Ihrem Haus? Schreiben Sie.

....

....

....

A Die Nachbarn

6 Um Hilfe bitten. Ergänzen Sie den Dialog.

> Gern geschehen. • Sie stören überhaupt nicht. • Aber gern. Einen Moment bitte.

● Entschuldigung, ich möchte nicht stören. Aber ich habe eine Bitte.

● ....

● Wir haben gerade Besuch. Wir trinken Kaffee und haben keine Milch. Können Sie mir vielleicht ein bisschen Milch geben?

● ....

● Vielen Dank!

● ....

7 Was kann man antworten? Ordnen Sie zu.

1 Vielen Dank!
2 Möchten Sie reinkommen und eine Tasse Kaffee trinken?
3 Ich glaube, der Briefträger hat ein Paket bei Ihnen abgegeben.
4 Ist Maria bei Ihnen?

A Ja, warten Sie bitte … Hier ist es.
B Ja, gern. Aber ich möchte nicht stören.
C Ja, die Kinder spielen gerade.
D Gern geschehen.

8 Das Zusammenleben mit Nachbarn. Formulieren Sie Bitten.

1 Musik leiser machen

Entschuldigung, können Sie bitte die Musik leiser machen?

2 Salz geben

....

....

3 die Tür aufmachen

4 mit dem Kinderwagen helfen

9a

Fragen zu einem Fest. Was passt?
Ordnen Sie zu. Es gibt mehrere Möglichkeiten.

		A	dauert das Fest?
1	Wer	**B**	gibt es auf dem Fest?
2	Was	**C**	finden Sie das Fest?
3	Wie	**D**	kommt zum Fest?
4	Wie viele	**E**	bringt Musik mit?
5	Wo	**F**	ist das Wetter am Wochenende?
6	Wie lange	**G**	findet das Fest statt?
7	Wann	**H**	Leute kommen zu dem Fest?
		I	kochen wir für das Fest?

EINLADUNG ZUM
HOFFEST!

Wann?
Samstag, 1. August, ab 10 Uhr
bis 22 Uhr

Wo?
Klausenerstraße 8 im Hof

Was?
Nachbarn treffen, Musik
machen und hören, Spiele
spielen, grillen, tanzen

Wer?
Alle Nachbarn aus dem Haus

9b

Zu welchen Fragen aus 9a finden Sie Antworten auf
dem Flyer? Schreiben Sie in Ihr Heft.

Frage 1
• Wann findet das Fest statt?
• Am Samstag, ...

Frage 2
• Wo findet ...

2.58

10a Smalltalk. Welche Antwort passt? Hören Sie und ordnen Sie zu.

A ☐ Ja, wir haben wirklich Glück mit dem Wetter.
B ☐ Ja, ich wohne erst seit drei Monaten hier.
C ☐ Ja, das ist eine Spezialität aus meiner Heimat.
D ☐ Guten Tag, ich heiße …
E ☐ Ja, wir haben kein Glück mit dem Wetter.
F ☐ Gerne. Die Musik ist wirklich gut.

2.58

10b Hören Sie noch einmal und antworten Sie.

B Probleme im Haus

🔊 2.59 **11a** Wer hatte welches Problem im letzten Jahr? Hören Sie zu und kreuzen Sie an.

	Frau Vukovic	Herr Heinlein
1 Die Heizung hat nicht funktioniert.	☐	☐
2 Der Aufzug funktioniert oft nicht.	☐	☐
3 Das Licht im Treppenhaus ist manchmal kaputt.	☐	☐
4 Im Treppenhaus war viel Müll.	☐	☐

🔊 2.59 **11b** Hören Sie noch einmal und beantworten Sie die Fragen.

1 Wann war die Heizung kaputt?
2 Wann hat sie wieder funktioniert?
3 Wer hat die Lampe repariert?

4 Wen hat Herr Heinlein angerufen?
5 Wer hat das Treppenhaus aufgeräumt?

12 Das Verb *gehen*. Ordnen Sie die Bilder zu und ergänzen Sie die richtige Form.

A ☐ Ich .... immer zu Fuß zur Arbeit. Der Weg ist nicht weit.

B ☐ Die Waschmaschine ist schon wieder kaputt. Sie .... nicht.

C ☐ Der Kurs .... noch bis zum 15. Juni.

D ☐ • Wie .... es Ihnen? • Danke, gut.

E ☐ • Kannst du mir helfen? • Tut mir leid. Das .... nicht. Ich habe keine Zeit.

13a Einen formellen Brief schreiben. Ordnen Sie die Briefteile zu.

> **1** Absender • **2** Anrede • **3** Gruß • **4** Betreff •
> **5** Ort und Datum • **6** Empfänger • **7** Unterschrift • **8** Text

☐ *Martina Schneider*

☐ Rüsselsheim, den 20. April 2015

☐ Sehr geehrter Herr Berger,

☐ Heizung in der Rheinstraße

☐ Mit freundlichen Grüßen

7 Martina Schneider
Rheinstraße 3
65428 Rüsselsheim

☐ Hausverwaltung Wichtig
Wilhelmstraße 53
65183 Wiesbaden

☐ wir haben ein Problem: Die Heizung funktioniert nicht gut. Die Wohnungen
im Dachgeschoss sind kalt und sie bekommen morgens oft kein warmes Wasser.
Bitte bestellen Sie eine Heizungsfirma.

13b Schreiben Sie den Brief.

Martina Schneider
Rheinstraße 3
65428 Rüsselsheim

....

....

....

                                                  ....

....

....

....

....

....

....

....

14 Ergänzen Sie die Sätze.

> Er will gesund bleiben. • Morgen kommt er gern. •
> Am Sonntag hat er frei. • Er bleibt zu Hause.

1 Heute kann er nicht kommen, aber ....

2 Er arbeitet am Samstag und ....

3 Im Sommer fährt er nach Italien oder ....

4 Er fährt gerne mit dem Fahrrad, denn ....

15 Schreiben Sie die Sätze richtig. Verbinden Sie die Satzteile mit *denn* oder *aber*.

1 Ich habe keine Zeit, *denn ich* ....
    (müssen – aufräumen – das Treppenhaus – ich)

2 Wir wollen unsere Fahrräder abstellen, ...
    (es – keinen Platz – im Fahrradraum – geben)

3 Wir schreiben einen Brief an die Hausverwaltung, ...
    (immer – schmutzig – ist – der Hof)

4 Bald gibt es kein Problem mehr mit dem Müll, ...
    (der Vermieter – neue Mülltonnen – bestellt – hat)

C Auf dem Spielplatz

16 Ein Nachmittag auf dem Spielplatz. Ergänzen Sie die Verben im Perfekt.

> essen • trinken • ~~gehen~~ • fahren • kaufen • spielen • mitkommen

Heute _bin_ ich mit Lukas auf den Spielplatz _gegangen_. Eine Freundin .... mit ihrem

Sohn .... Die Kinder .... zusammen .... und meine

Freundin Paula und ich .... Kaffee .... Die Kinder hatten Hunger

und Paula .... in der Bäckerei neben dem Spielplatz Kuchen .... Die

Kinder .... den Kuchen .... Danach .... sie mit ihren Fahrrädern

....

17 Schreibtraining. Lesen Sie den formellen Brief und korrigieren Sie die Fehler.

Andreas Simonsen
Stresemannstraße 25
36041 Fulda

Fulda, ~~den April 25~~. 2015
Korrektur: Fulda, den 25. April 2015

Hausverwaltung Schröder
Frau Anne Schmitz
Vogelsberger Straße 121
36041 Fulda

Licht im Treppenhaus in der Stresemannallee

Liebe Frau Anne,
im Haus in der Stresemannstraße 25 ist das Licht im Treppenhaus kaputt.
Manchmal geht es, manchmal geht es nicht. Das ist gefährlich, denn im
Treppenhaus ist es dunkel. Bitte bestell einen Elektriker.

Mit freundlich Grüßen
Andreas

18a Was gibt es auf dem Straßenfest? Ordnen Sie zu.

A ☐ Stände mit Spezialitäten   **B** ☐ Musikveranstaltungen   **C** ☐ Tanzveranstaltungen

18b Das Internationale Straßenfest in Sindelfingen. Lesen Sie den Artikel und korrigieren Sie die falschen Sätze.

1 Das internationale Straßenfest ist eine neue Idee.

2 Beim ersten Straßenfest haben nur Gruppen aus Deutschland mitgemacht.

3 Heute dauert das Straßenfest einen Tag.

Das Internationale Straßenfest Sindelfingen
— Früher und heute

Das Internationale Straßenfest Sindelfingen hat eine lange Tradition. Das erste Fest in Sindelfingen war im September 1977. An einem Samstag haben Menschen aus vielen Nationalitäten ein großes Straßenfest gefeiert und viele Gruppen haben ihre Kultur und Spezialitäten vorgestellt und eine Bühne für Musik und Tanzveranstaltungen organisiert. Von 1977 bis heute findet das Fest jedes Jahr im Sommer statt, immer am dritten Juniwochenende. 1977 hat es nur einen Tag gedauert. Heute geht es von Freitag bis Sonntag.

19 Was findet wo statt? Lesen und schreiben Sie.

1 Wo kann man Tänze aus Angola sehen?

....

....

2 Wo kann man Musik aus Südamerika hören?

....

....

3 Wo kann man Tänze aus Indien sehen?

....

....

Internationales Strassenfest Sindelfingen

Programm am Samstag
Bühne Schaffhauser Platz
15.00   Angolanische Folklore
15.20   Musik aus Paraguay
16.40   Morrismen Dancers Sheffield
        Tänze aus England
17.00   Griechische Volkstänze

Bühne Lange Straße
14.40   APMEV – afrikanische Folklore
15.00   Indische Tänze
15.20   MK Vardar – mazedonische Tänze
17.00   Brasilianischer Gesang

der Kinderwagen, - ....

die Mülltonne, -n ....

der Hof, "-e ....

die Klingel, -n ....

die Treppe, -n ....

das Licht, Sg. ....

der Aufzug, "-e ....

das Treppenhaus, "-er ....

A Die Nachbarn

der Nachbar, -n ....

die Nachbarin, -nen ....

stören ....

die Bitte, -n ....

gerade ....

Gern geschehen! ....

das Paket, -e ....

ein Paket abgeben ....

das Päckchen, - ....

das Salz, Sg. ....

die Tasse, -n ....

Blumen gießen ....

das Hoffest, -e ....

feiern ....

der Grill, -s ....

das Essen, Sg. ....

schmecken ....

Glück haben ....

wunderbar ....

B Probleme im Haus

funktionieren ....

Das Licht geht nicht. ....

die Heizung, -en ....

der Müll, Sg. ....

die Tonne, -n ....

die Müllabfuhr, Sg. ....

stellen ....

schmutzig ....

riechen ....

ärgerlich ....

bestellen ....

gefährlich ....

der Keller, - ....

Fahrräder abstellen ....

denn ....

aber ....

der Absender, - ....

der/die Empfänger/in, -/-nen ....

der Gruß, "-e ....

die Unterschrift, -en ....

die Anrede, -n ....

C Auf dem Spielplatz

der Spielplatz, "-e ....

der Sandkasten, "- ....

der Junge, -n ....

das Mädchen, - ....

neugierig ....

streiten ....

Kinder betreuen ....

der Kindergartenplatz, "-e ....

1a Wo wohnen Sie? Wie sieht Ihre Wohnung/Ihr Haus aus? Was gibt es dort? Sammeln Sie Wörter.

Wohnung/Haus: ....

....

Hof/Garten/Balkon: ....

....

1b Schreiben Sie Sätze mit den Wörtern aus 1a.

....

....

2 Wörter zum Fest. Welches Wort passt nicht? Streichen Sie.

1 ein Fest   machen – tanzen – feiern – planen
2 Freunde   machen – treffen – anrufen – einladen
3 Essen   kochen – machen – einladen – mitbringen
4 Musik   hören – machen – spielen – schmecken

3 Kreuzworträtsel: Briefteile. Was ist das? Ergänzen Sie.

1 Das ist der Name am Briefende.
2 Diese Person schickt den Brief ab.
3 Diese Person bekommt den Brief.
4 An diesem Tag schreibt man den Brief.
5 Das ist eine Stadt oder ein Dorf.
6 Hier redet man die Person an.

1 UNTERSCHRIFT
4 A N R E D E
5 R
2 E

4 Wörter hören und nachsprechen. Hören Sie zu und sprechen Sie nach.

1 die Treppe – das Treppenhaus – das Licht – die Heizung
2 die Klingel – der Hof – die Mülltonne – die Müllabfuhr
3 ärgerlich – schmutzig – gefährlich – kaputt

das Dach, "-er

der Hausflur, -e

5a Ergänzen Sie die Wörter mit Artikel und Plural.

🔊 **5b** Hören Sie die neuen Wörter und sprechen Sie nach.
2.61

6 Was gibt es in Ihrer Wohnung/in Ihrem Haus? Schreiben Sie Sätze.

Ich wohne in einem Mietshaus. Es gibt keinen Aufzug. ...

.... das Geländer, - ....

das Gartentor, -e der Gartenzaun, "-e die Garage, -n

der Schornstein, -e der Hinterhof, "-e ....

der Müllcontainer, - .... die Waschküche, -n

7 Was ist am Haus, was ist vor, neben oder hinter dem Haus? Schreiben Sie Sätze wie im Beispiel.

Eine Garage ist oft neben dem Haus.
Der Briefkasten ist am Haus oder vor dem Haus.
...

Station

4

1 Lesen Sie und ergänzen Sie in A–G.

✓ ✗ **Ich kann auf Deutsch**

☐ ☐ **A** über Kleidung sprechen.

gefällt • schön • gefällt • finde • finden • gefallen

- Wie .... Ihnen die Kleidung?
- Ich .... die Hose sehr schön, aber der Pullover

  .... mir nicht.
- Und wie .... Sie die Schuhe?
- Die Schuhe .... mir sehr gut. Sie sind sehr

  ....

☐ ☐ **B** Einkaufsdialoge führen und Kleidungsgrößen sagen.

Kasse • Umkleidekabinen • Größe • suche • Wie • anprobieren • bezahlen

- Kann ich Ihnen helfen?
- Ja, ich .... eine Bluse.
- Welche .... haben Sie?
- 40.
- .... finden Sie die rote Bluse?

- Ja, die sieht gut aus. Kann ich die einmal

  ....?
- Gern, die .... sind da hinten.
- Ich nehme die Bluse. Wo kann ich

  ....?
- Die .... ist im Erdgeschoss.

☐ ☐ **C** über das Wetter sprechen.

....

....

....

....

D eine Fahrkarte kaufen. ☐ ☐

> direkt • Zug • von • nach • hätte • kommen … an • umsteigen

- Ich .... gern heute Nachmittag eine Fahrkarte .... Dortmund

  .... Osnabrück.

- Ja, ich habe hier einen .... um 15.35 Uhr.

- Fährt der Zug ....?

- Nein, Sie müssen einmal in Münster .... Sie .... um

  17.09 Uhr in Osnabrück ....

E Städte vergleichen. ☐ ☐

1 Welche Stadt ist größer? Lübeck oder Bonn? (Lübeck: 214.000 Einwohner, Bonn: 330.000 Einwohner)

....

2 Wo ist es heute kälter? (Berlin: 5 °C / München: 5 °C)

....

F über Probleme im Haus sprechen. ☐ ☐

- Herr Schröder, ...

  ....

- Ja, ich komme sofort.

G um Hilfe bitten. ☐ ☐

> Gern • Können • Bitte • Vielen • Entschuldigung

- ...., ich habe eine .... Ich koche gerade eine Suppe und ich

  habe kein Salz. .... Sie mir ein bisschen Salz geben?

- Aber gern. Hier, bitte.

- .... Dank.

- .... geschehen.

2 Kontrollieren Sie mit den Lösungen und markieren Sie ✓ für *kann ich* und ✗ für *kann ich nicht so gut*.

Grammatik im Überblick

1 Verben

Regelmäßige Verben
Verben mit Vokalwechsel: *e → i, a → ä*
Unregelmäßige Verben
Trennbare Verben
Modalverben
Der Imperativ
Das Präteritum (Vergangenheit) von *sein* und *haben*
Das Perfekt (Vergangenheit)

2 Artikel und Nomen

Artikel
Possessivartikel
Artikel im Nominativ, Akkusativ und Dativ
Das Fragewort *welch-*
Der Plural von Nomen

3 Pronomen

Personalpronomen
Artikel und Pronomen
Das unpersönliche Pronomen *man*
Artikel als Pronomen
Das Pronomen *es*

4 Adjektive

Adjektive nach dem Nomen (prädikativ)
Adjektive vor dem Nomen (attributiv)
Adjektive im Komparativ

5 Präpositionen

Temporale Präpositionen (Zeit): *am, um, vor, nach, seit, bis, von … bis*
Lokale Präpositionen (Ort): *in, bei, nach, zu, aus, von*
Präpositionen mit Dativ: *aus, bei, mit, nach, seit, von, zu, vor* (temporal)
Präpositionen mit Akkusativ: *für, um, durch, ohne*
Wechselpräpositionen mit Dativ

6 Wortbildung

Komposita
Das Datum – Ordinalzahlen

7 Wörter im Satz

Sätze und W-Fragen
Ja/Nein-Fragen (Satzfragen)
Satzklammer (trennbare Verben, Modalverben)
Vergleichssätze
Verben und Ergänzungen (Verben mit Nominativ, Dativ und Akkusativ)
Verneinung mit *nicht* oder *kein*
Satzverbindungen mit *aber – denn – und – oder*

1 Verben

Regelmäßige Verben

Infinitiv		kommen
Singular	ich	komm-e
	du	komm-st
	er/es/sie/man	komm-t
Plural	wir	komm-en
	ihr	komm-t
	sie	komm-en
Höflichkeitsform	Sie	komm-en

> Woher kommen Sie?

> Ich komme aus Deutschland.

⚠ heißen:　　du heißt　　　　　er/sie heißt

⚠ arbeiten:　du arbeitest,　　　er/sie arbeitet, ihr arbeitet
genauso:　　　antworten, kosten

Verben mit Vokalwechsel: *e → i, a → ä*

		e → i	e → ie	a → ä
Infinitiv		sprechen	lesen	schlafen
Singular	ich	spreche	lese	schlafe
	du	sprichst	liest	schläfst
	er/es/sie/man	spricht	liest	schläft
Plural	wir	sprechen	lesen	schlafen
	ihr	sprecht	lest	schlaft
	sie	sprechen	lesen	schlafen
Höflichkeitsform	Sie	sprechen	lesen	schlafen

genauso:　　treffen: er/sie trifft　　　sehen: er/sie sieht
　　　　　　essen: er/sie isst　　　　schlafen: er/sie schläft
　　　　　　nehmen: er/sie nimmt　　anfangen: er/sie fängt an
　　　　　　helfen: er/sie hilft

> Sie spricht sehr gut Deutsch.

Unregelmäßige Verben

Infinitiv		sein	haben	mögen	(möchten)
Singular	ich	bin	habe	mag	möchte
	du	bist	hast	magst	möchtest
	er/es/sie/man	ist	hat	mag	möchte
Plural	wir	sind	haben	mögen	möchten
	ihr	seid	habt	mögt	möchtet
	sie	sind	haben	mögen	möchten
Höflichkeitsform	Sie	sind	haben	mögen	möchten

Grammatik im Überblick

Trennbare Verben

> *Der Kurs fängt um 9 Uhr an und hört um 12 Uhr auf.*

> *Am Dienstag fällt der Kurs aus.*

ab}holen	Marines	holt	ein Paket	ab.
ein}kaufen	Danach	kauft	sie Obst und Gemüse	ein.
auf}stehen	Morgen	steht	sie sehr früh	auf.

genauso: anfangen, anrufen, aufräumen, aufhören, ausgehen, ausfallen, fernsehen, mitkommen, mitbringen, stattfinden

In der Wörterliste am Ende jeder Lektion im Arbeitsbuch sind die trennbaren Verben immer so } gekennzeichnet, zum Beispiel: an}fangen.

Modalverben

Infinitiv		können	wollen	müssen	sollen	dürfen
Singular	ich	kann	will	muss	soll	darf
	du	kannst	willst	musst	sollst	darfst
	er/es/sie/man	kann	will	muss	soll	darf
Plural	wir	können	wollen	müssen	sollen	dürfen
	ihr	könnt	wollt	müsst	sollt	dürft
	sie	können	wollen	müssen	sollen	dürfen
Höflichkeitsform	Sie	können	wollen	müssen	sollen	dürfen

Ich	kann	gut auf Deutsch	lesen.
Wir	müssen	jeden Tag früh	aufstehen.
Meine Freundin	will	noch einen Apfelsaft	trinken.
Ich	soll	die Tabletten zweimal pro Tag	nehmen.
Hier	darf	man nicht	parken.

Der Imperativ

> *Bitte schreiben Sie!*

> *Vergiss die Hausaufgaben nicht!*

	Sie-Form	du-Form	ihr-Form
machen	Machen Sie …	(du mach**st**) Mach …	Macht …
sprechen	Sprechen Sie …	(du sprich**st**) Sprich …	Sprecht …
mitkommen	Kommen Sie (doch) mit!	(du komm**st**) Komm (doch) mit!	Kommt (doch) mit!
⚠ fahren	Fahren Sie!	(du fährst) Fahr …	Fahrt …
⚠ sein	Seien Sie ruhig!	(du bist) Sei ruhig!	Seid ruhig!

Das Präteritum (Vergangenheit) von *sein* und *haben*

> Waren Sie schon einmal in Berlin?

> Nein, leider noch nicht.

Infinitiv		sein	haben
Singular	ich	war	hatte
	du	warst	hattest
	er/es/sie/man	war	hatte
Plural	wir	waren	hatten
	ihr	wart	hattet
	sie	waren	hatten
Höflichkeitsform	Sie	waren	hatten

Das Perfekt (Vergangenheit): *haben/sein* + Partizip

Für die meisten Verben benutzt man in der Vergangenheit das Perfekt.

Wann	sind	Sie nach Deutschland	gekommen?
Ich	bin	2002 nach Deutschland	gekommen.
Was	haben	Sie am Wochenende	gemacht?
Wir	haben	am Samstag auf dem Markt	eingekauft.

Das Perfekt – Bildung der Partizipien

Verben: **ge**...(e)**t** **ge**macht, **ge**lernt, **ge**spielt, **ge**arbeitet, **ge**lebt, …
trennbare Verben: ...**ge**...(e)**t** ab**ge**holt, ein**ge**kauft, auf**ge**räumt, …

Die unregelmäßigen Partizipien (gegangen, gefahren, …) finden Sie im Kursbuch auf den letzten Seiten.

Das Perfekt – *sein* oder *haben*?

Die meisten Verben bilden das Perfekt mit *haben*: ich habe gemacht, ich habe gelernt, ich habe gearbeitet, …

Verben der Bewegung oder Veränderung bilden das Perfekt mit *sein*.

> Wir sind gestern nach Köln gefahren. Und was hast du gemacht?

> Ich habe eingekauft.

Bewegungsverben	Zustandsveränderung	auch:
A ──────► B gehen: ist gegangen	einschlafen: ist eingeschlafen	bleiben: ist geblieben sein: ist gewesen

2 Artikel und Nomen

Artikel

> Da ist ein Mann.

> Das ist der Mann von Frau Monti.

	m (maskulin)		n (neutrum)		f (feminin)		Pl (Plural)	
bestimmter Artikel	der		das		die		die	
unbestimmter Artikel	ein	Mann	ein	Auto	eine	Frau	–	Kinder
Negativartikel	kein		kein		keine		keine	
Possessivartikel	mein		mein		meine		meine	

genauso: dein-, sein-, ihr-, Ihr-

Possessivartikel

> Guten Tag, mein Name ist Thomas Müller und das ist meine Frau.

> Sind das Ihre Kinder?

> Ja, das sind meine Töchter Lisa und Nina und das ist mein Sohn Tobias.

	m (maskulin)		n (neutrum)		f (feminin)		Pl (Plural)	
ich	mein		mein		meine		meine	
du	dein		dein		deine		deine	
er	sein	Bruder	sein	Haus	seine	Schwester	seine	Kinder
sie	ihr		ihr		ihre		ihre	
Sie	Ihr		Ihr		Ihre		Ihre	

Artikel im Nominativ

	m (maskulin)		n (neutrum)		f (feminin)		Pl (Plural)	
bestimmter Artikel	der		das		die		die	
unbestimmter Artikel	ein	Mann	ein	Auto	eine	Frau	–	Kinder
Negativartikel	kein		kein		keine		keine	
Possessivartikel	mein		mein		meine		meine	

> Das sind meine Kinder.

Artikel im Akkusativ

	m (maskulin)		n (neutrum)		f (feminin)		Pl (Plural)	
bestimmter Artikel	den		das		die		die	
unbestimmter Artikel	einen	Mann	ein	Auto	eine	Frau	–	Kinder
Negativartikel	keinen		kein		keine		keine	
Possessivartikel	meinen		mein		meine		meine	

Lerntipp
Lernen Sie im Akkusativ nur das -en im Maskulin, alles andere ist wie im Nominativ!

Ich kenne den Mann nicht.

Ich habe keine Kinder.

Artikel im Dativ

	m (maskulin)		n (neutrum)		f (feminin)		Pl (Plural)	
bestimmter Artikel	dem		dem		der		den	
unbestimmter Artikel	einem	Mann	einem	Auto	einer	Frau	–	Kindern
Negativartikel	keinem		keinem		keiner		keinen	
Possessivartikel	meinem		meinem		meiner		meinen	

Das Nomen hat im Dativ Plural immer die Endung -n: Wie spielen mit den Kindern.

⚠ Ausnahme: Nomen mit s-Plural: die Autos - mit den Autos.

Das Fragewort *welch-*

	m (maskulin)	n (neutrum)	f (feminin)	Pl (Plural)
Nominativ	welcher Zug	welches Auto	welche U-Bahn	welche Fahrräder
Akkusativ	welchen Zug	welches Auto	welche U-Bahn	welche Fahrräder
Dativ	welchem Zug	welchem Auto	welcher U-Bahn	welchen Fahrrädern

Lerntipp
der Zug   welcher Zug

Die Endungen von *welch-* sind wie beim bestimmten Artikel.

Welchen Zug nehmen Sie?

Welcher Zug fährt auf Gleis 2?

Mit welchem Zug sind Sie gekommen?

Der Plural von Nomen

	Singular	Plural		Singular	Plural
-e	der Tisch	die Tische	-	der Computer	die Computer
-e (+ Umlaut)	der Stuhl	die Stühle	-s	das Auto	die Autos
-en	die Zahl	die Zahlen	-er	das Kind	die Kinder
-n	die Tasche	die Taschen	-er (+ Umlaut)	das Haus	die Häuser
-nen	die Lehrerin	die Lehrerinnen			

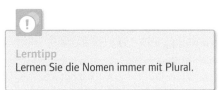

Lerntipp
Lernen Sie die Nomen immer mit Plural.

Wie viele Stühle sind im Kursraum?

3 Pronomen

Personalpronomen

Nominativ	Akkusativ	Dativ
ich	mich	mir
du	dich	dir
er	ihn	ihm
es	es	ihm
sie	sie	ihr
wir	uns	uns
ihr	euch	euch
sie	sie	ihnen
Sie	Sie	Ihnen

Können Sie mir bitte helfen?

Ja, gerne, ich rufe Sie morgen an.

Artikel und Pronomen

Der Schrank ist alt. Er ist alt.
Das Bett ist alt. Es ist alt.
Die Küche ist modern. Sie ist modern.
Die Blumen sind schön. Sie sind schön.

Das unpersönliche Pronomen *man*

Mit *man* steht das Verb in der 3. Person Singular.

Wie schreibt man das?

Hier kann man Geld wechseln.

Artikel als Pronomen

Wie finden Sie den blauen Anzug? | Der ist nicht schlecht. Den nehme ich.
Wie finden Sie das rote Kleid? | Das ist sehr elegant. Das nehme ich.
Wie gefällt Ihnen die Bluse? | Die ist zu kurz. Die nehme ich nicht.
Wie gefallen Ihnen die Schuhe? | Die sind gut. Die kaufe ich.

Das Pronomen *es*

In vielen Ausdrücken benutzt man das Pronomen *es*. Das *es* hat keine Bedeutung.

Wetterwörter	andere Ausdrücke
Es regnet. / Es schneit. Heute ist es kalt. / Es ist windig. Es ist bewölkt.	Wie geht es Ihnen? Danke, es geht mir gut. Hier gibt es einen Park.

4 Adjektive

Adjektive nach dem Nomen (prädikativ)

Adjektive nach dem Nomen haben keine Endung.

Der Schrank ist neu. Ich finde den Schrank schön.
Das Sofa ist bequem. Ich finde das Sofa langweilig.

Adjektive vor dem Nomen (attributiv)

Zwischen Artikel und Nomen haben Adjektive eine Endung (mindestens ein **-e**).

	m (maskulin)	n (neutrum)	f (feminin)	Pl (Plural)
Nominativ	der graue Anzug	das blaue Hemd	die rote Bluse	die braunen Schuhe
Akkusativ	den grauen Anzug	das blaue Hemd	die rote Bluse	die braunen Schuhe

> Der graue Anzug ist nicht so elegant.

> Ich nehme den blauen Anzug.

Adjektive im Komparativ

Adjektiv + -er	Adjektiv + Umlaut + -er	Ausnahmen
hell – heller interessant – interessanter schnell – schneller langsam – langsamer schön – schöner	groß – größer kalt – kälter warm – wärmer	gern – lieber gut – besser viel – mehr

> Istanbul ist größer als London.

> In Deutschland ist es im Winter kälter als im Sommer.

5 Präpositionen

Temporale Präpositionen (Zeit): *am, um, vor, nach, seit, bis, von ... bis*

am	Wochentag/Tagesabschnitt	am Montag, am Vormittag, ⚠ in der Nacht
um	Uhrzeit	um 8 Uhr, um halb 10, um 13 Uhr 30 Der Film beginnt um 20 Uhr.
vor	• |	Es ist jetzt Viertel vor acht. Sie bringt vor der Arbeit die Kinder zur Kita.
nach	| •	Es ist zehn nach acht. Nach der Arbeit geht er einkaufen.
seit	•—→	Sie sind schon seit fünf Jahren in Frankfurt.
bis	—→•	Der Film geht bis 22 Uhr.
von ... bis	•→•	Der Film geht von 20 Uhr bis 22 Uhr.

Lokale Präpositionen (Ort): *in, bei, nach, zu, aus, von*

in	Wo?	**In** Berlin gibt es viele Sehenswürdigkeiten.
bei		Ich bin **beim** Friseur.
nach	Wohin?	Ich fahre gern **nach** Berlin.
zu		Ich gehe **zum** Bahnhof.
aus	Woher?	Er kommt **aus** Italien.
von		Sie kommt heute spät **von** der Arbeit.

Präpositionen mit Dativ:

aus, bei, mit, nach, seit, von, zu, vor (temporal)

aus:	Ich gehe jeden Morgen um 8 Uhr aus dem Haus.
bei:	Ich wohne bei meinen Eltern.
mit:	Ich fahre mit dem Bus.
nach:	Nach dem Deutschkurs möchte ich eine Arbeit suchen.
seit:	Ich bin schon seit einem Jahr in Deutschland.
von:	Von der Haltestelle muss ich noch 5 Minuten zu Fuß gehen.
zu:	Ich fahre zur Sprachschule.
vor:	Vor dem Deutschkurs gehe ich joggen.

bei dem	=	beim	zu dem	=	zum
von dem	=	vom	zu der	=	zur

Präpositionen mit Akkusativ: *für, um, durch, ohne*

für:	Sie brauchen für den Antrag einen Pass und ein Foto.
um:	Man kann sehr gut um den Schluchsee wandern.
durch:	Der Zug fährt durch den Tunnel.
ohne:	Sie trinkt den Kaffee ohne Zucker.

⚠ *Ohne* verwendet man meistens ohne Artikel.

Wechselpräpositionen mit Dativ

	in:	In der Bäckerei sind viele Leute.
	an:	Der Bus steht an der Ampel.
	auf:	Auf dem Platz ist ein Brunnen.
	unter:	Die Bank steht unter dem Baum.
	über:	Die Sprachschule ist im ersten Stock über der Post.
	vor:	Vor dem Supermarkt ist ein Parkplatz.
	hinter:	Hinter dem Café ist ein Spielplatz.
	neben:	Neben dem Kino ist eine Drogerie.
	zwischen:	Zwischen den Bäumen stehen Bänke.

in dem → im   an dem → am

6 Wortbildung

Komposita

die Dame + der Mantel → der Damenmantel

Das letzte Wort in Komposita bestimmt den Artikel. Der Wortakzent ist (fast) immer auf dem ersten Wort.

Das Datum – Ordinalzahlen

1–19 + ten	**20 + sten**
am 1. – am **ersten**	am 20. – am zwanzig**sten**
am 2. – am zwei**ten**	am 21. – am einundzwanzig**sten**
am 3. – am **dritten**	am 22. – am zweiundzwanzig**sten**
am 4. – am vier**ten**	am 30. – am dreißig**sten**
am 5. – am fünf**ten**	
am 6 – am sechs**ten**	• Wann sind Sie geboren?
am 7. – am **siebten**	• Am 5.3.1987. (Am fünften Dritten
am 8. – am ach**ten**	neunzehnhundertsiebenundachtzig.)
am 9. – am neun**ten**	
am 10. – am zehn**ten**	
am 16. – am **sechtzehnten**	
am 19. – am neunzehn**ten**	

7 Wörter im Satz

Sätze und W-Fragen

Das konjugierte Verb steht immer auf Position 2.

	Position 2	
Woher	kommen	Sie?
Ich	komme	aus Costa Rica.
Wie	heißt	Ihr Sohn?
Er	heißt	Lukas.
Was	sind	Sie von Beruf?
Ich	bin	Lehrerin.

Am Wochenende	besuche	ich meine Freunde.
Ich	besuche	**am Wochenende** meine Freunde.
Dann	machen	wir eine Radtour.
Wir	machen	**dann** eine Radtour.

Ja/Nein-Fragen (Satzfragen)

Kommen	Sie aus München?
Haben	Sie morgen Zeit?
Möchtest	du einen Kaffee?
Kennt	ihr Berlin?

Satzklammer (trennbare Verben, Modalverben)

Wann	holst	du die Kinder vom Kindergarten	ab?
Ich	hole	sie am Nachmittag	ab.
Frau Stein	muss	am Morgen früh	aufstehen.
Frau Deck	will	am Wochenende nicht	arbeiten.

Vergleichssätze

≠   Komparativ + als

In Deutschland ist es im Sommer wärmer als im Winter.

=   genauso + Adjektiv

In Lübeck regnet es genauso viel wie in Bremen.

Verben und Ergänzungen

Verben mit Nominativ und Akkusativ

Ich   (habe)   einen Sohn.
Nominativ   *Akkusativ*

Es gibt viele Verben: brauchen, sehen, nehmen, besichtigen, möchten, wollen, …

Verben mit Nominativ, Dativ und Akkusativ

Er   (gibt)   mir   einen Tipp.
Nominativ   *Dativ*   *Akkusativ*

Es gibt viele Verben: bringen, schenken, holen, erklären, …

Verben mit Nominativ und Dativ

Wir   (helfen)   euch.
Nominativ   *Dativ*

Es gibt nur wenige Verben: danken, gehören, gefallen, …

Ein Verb mit Nominativ und Nominativ

Das   (ist)   ein Mantel.
Nominativ   *Nominativ*

Verneinung mit *nicht* oder *kein*

ein → *kein*	Ich habe einen Tisch / ein Sofa / eine Waschmaschine / Stühle. Ich habe keinen Tisch / kein Sofa / keine Waschmaschine / keine Stühle.
⚠ Auch *kein* bei:	Ich habe kein Geld / keine Zeit / keine Lust. Ich mag keinen Kaffee / keinen Käse / keine Kartoffeln.
Sonst immer *nicht*:	Heute kommt er. Morgen kommt er nicht. Sie isst gern Käse. Sie isst nicht gern Käse. Ich arbeite viel. Ich arbeite nicht viel.

Satzverbindungen mit *aber – denn – und – oder*

	0	1	2	
Heute habe ich keine Zeit,	aber	morgen	komme	ich gerne.
Ich möchte ins Kino gehen,	denn	ich	möchte	den neuen James-Bond-Film sehen.
Heute sehen wir den James-Bond-Film	und	morgen	gehen	wir in den Club.
Kommst du auch mit	oder		musst	du noch arbeiten?

🔊 Hörtexte

Hier finden Sie alle Hörtexte, die nicht oder nicht vollständig im Arbeitsbuch abgedruckt sind oder die Sie nicht im Lösungsschlüssel finden.

① Willkommen!

9

1 • Wo lernst du Deutsch?
  • In der VHS.
  • VHS. Was ist das?
  • Volkshochschule.

2 • Das ist mein Auto.
  • Super. Ein BMW.

3 • Wie heißt das Auto?
  • Das ist ein VW, ein Volkswagen.
    Ein VW Golf.

4 • Was ist das?
  • Das ist eine DVD von Justin Timberlake.

10

1 • Guten Tag. Wie heißen Sie?
  • Halina Jankowska.
  • Halina … äh … wie bitte?
  • Moment, ich buchstabiere:
    J – a – n – k – o – w – s – k – a.
  • Frau Jankowska, woher kommen Sie?
  • Ich komme aus Lublin in Polen.

2 • Ich heiße Fernando Matola.
  • Fernando … ?
  • Matola. M – a – t – o – l – a.
  • Und woher kommen Sie?
  • Ich komme aus Maputo in Mosambik.
  • Mapu…?
  • Maputo. M – a – p – u – t – o.

3 • Wie ist Ihr Name?
  • Akina Bürger.
  • Bürger? Wie schreibt man das?
  • B – ü – r – g – e – r.
  • Und woher kommen Sie?
  • Ich komme aus Japan, aus Kanazawa.
    K – a – n – a – z – a – w – a.

4 • Wie heißen Sie?
  • Matthew Smith.
  • Matthew? Wie schreibt man das?
  • M – a – t – t – h – e – w.
  • Woher kommen Sie?
  • Ich komme aus Wellington in Neuseeland.
    W – e – l – l – i – n – g – t – o – n.
    Wellington.

12

1 • Hallo, Lukas, wie geht's?
  • Hallo José. Gut. Und dir?
  • Super!

2 • Guten Tag, wie heißen Sie?
  • Ich heiße Kloberdanz, Heiko Kloberdanz.
    Und Sie?
  • Diego Sanchez.

3 • Guten Tag, Frau Schneider.
  • Guten Tag, Frau Wang, wie geht es Ihnen?
  • Gut, danke, und Ihnen?
  • Auch gut.

4 • Wie heißt du?
  • Ich heiße Thomas, und du?
  • Ich heiße Elisabeth.

14

1 • Hallo Vivian!
  • Hallo Lea, wie geht's?
  • Gut. Und dir?

2 • Auf Wiedersehen, Herr Abiska.
  • Auf Wiedersehen, Frau Smith.

3 • Guten Tag, Frau Smith.
  • Guten Tag, Herr Abiska.

4 • Tschüs Vivian.
  • Tschüs Lea.

27

  • Guten Tag, ich heiße Javier Gonzalez. Ich möchte mich für den Kurs Deutsch als Fremdsprache B1 anmelden.
  • Einen Moment bitte. Gonzales – wie schreibt man das?
  • G – O – N – Z – A – L – E – S.
  • Danke, und der Vorname?
  • Javier: J – a – v – i – e – r.
  • Wo wohnen Sie?
  • In Steinfurt. Die Adresse ist Südstraße 12, 48565 Steinfurt.
  • Und Ihre Telefonnummer oder Handynummer?
  • Meine Handynummer ist 0171 678329.
  • Haben Sie eine E-Mail-Adresse?
  • Ja, gonzales@gma.de

- Gut, dann brauche ich noch Ihr Herkunfts-land und Ihren Beruf. Woher kommen Sie? Und was sind Sie von Beruf?
- Ich komme aus Spanien. Ich bin Student.
- Danke, das ist alles.

28

1
- Wie geht's?
- Super!!!!

2
- Wie geht's?
- Na ja, es geht.

3
- Wie geht's?
- Sehr gut!!

4
- Wie geht's?
- Oh, schlecht. Sehr schlecht.

5
- Wie geht's?
- Gut.

Wichtige Wörter 4b

Bitte wiederholen Sie.
Bitte noch einmal.
Bitte buchstabieren Sie.

Wichtige Wörter 5

- Wie heißen Sie?
- Ich heiße Eva Morales.
- Wie schreibt man das?
  Bitte buchstabieren Sie.
- Der Vorname ist: E – v – a –, der Familien-name ist Morales: M – o – r – a – l – e – s.
- Woher kommen Sie?
- Ich komme aus Peru.
- Bitte buchstabieren Sie.
- P – e – r – u.
- Danke. Und was sind Sie von Beruf?
- Ich bin Ingenieurin.

Alte Heimat, neue Heimat

13

1
- Wie viel kostet der Laptop?
- 565 Euro.
- Oh, das ist aber teuer.

2
- Und wie viel kostet das Handy?
- Nur 35 Euro.
- Das ist nicht teuer.

3
- Die Lampe kostet 57 Euro.
- Ja, aber sie ist sehr schön.

4
- Wie viel kostet der Tisch?
- Nur 64 Euro.
- 64 Euro? Das ist ok.

15

1
- Wie ist die Vorwahlnummer von München?
- Die Vorwahl von München? Ich denke, die 0 – 8 – 9.

2
- Wie ist die Telefonnummer von Jonathan?
- 46 – 53 – 33 in Frankfurt am Main.
- Und welche Vorwahl hat Frankfurt?
- 0 – 6 – 9.

3
- Guten Tag, ich suche die Vorwahl von Berlin.
- Einen Moment. Die Vorwahl von Berlin ist 0 – 3 – 0.
- Danke.

4
- Deutschland hat die Vorwahl 49. Aber was ist die Vorwahl von Österreich und der Schweiz?
- Die Vorwahl von Österreich ist 43 und die von der Schweiz 41.

17

1
- Wie ist die Telefonnummer von Jonas?
- Moment, … die Nummer ist 0 – 3 – 1 – 6 – 54 – 67 – 37.

2
- Wie ist Ihre Telefonnummer?
- Meine Telefonnummer ist 64 – 62 – 08.

3
- Wie ist deine Handynummer?
- 0 – 1 – 5 – 2 – 25 – 37 – 52 – 4 – 8 – 2.

4
- Die gewünschte Nummer ist 030 / 23 90 52.

20b

Herr Berger kommt aus Frankfurt. Er ist Arzt. Er spricht Deutsch. Er lebt und arbeitet in Berlin.

Wichtige Wörter 6

der CD-Player, die CD-Player – die Jacke, die Jacken – das Lineal, die Lineale – der Markierstift, die Mar-kierstifte – das Notizbuch, die Notizbücher – das Portemonnaie, die Portemonnaies – der Radiergum-mi, die Radiergummis – die Schere, die Scheren – die Tasse, die Tassen – der Zettel, die Zettel

Wichtige Wörter 7

die Zettel – die Bleistifte – die Markierstifte – die Plakate – die Scheren – die CDs – die Wörterbücher – die Uhren – die Stühle

Hörtexte

Wichtige Wörter 8a

die Tür und das Fenster
die Jacke, das Portemonnaie und der Schlüssel

der Laptop, der USB-Stick, das Tablet und das Handy

der Tisch, die Flasche, die Tasse, das Buch und das Notizbuch

 ## Häuser und Wohnungen

7a

- Also, wir haben schon eine Spülmaschine und einen Kühlschrank. Im Wohnzimmer ist aber noch kein Regal.
- Ja, dann kaufen wir das Regal bei Möbel Barth. Da sind Regale nicht so teuer.
- Gut, wir brauchen aber auch noch Blumen und wir haben kein Sofa. Das Wohnzimmer ist nicht schön.
- Ja, das ist richtig. Aber wir haben schon Stühle, zwei Sessel und der Fernseher ist auch da. In der Küche brauchen wir noch einen Herd.
- Ach, wir brauchen noch sehr viel.

14

- Wie findest du das Zimmer, Markus?
- Also, ich weiß nicht, Irina … Der Tisch ist ganz schön, aber den Sessel und das Sofa finde ich hässlich.
- So? Ich finde den Sessel und das Sofa schön. Sie sind modern und gemütlich.
- Und das Bild?
- Das finde ich furchtbar. Aber die Regale sind schön.
- Und der Schrank ist auch sehr schön.
- Na ja, der Schrank ist nicht schlecht.

19

Meine Frau und ich wohnen in Hannover, in der Südstraße 17. Wir haben eine 3-Zimmer-Wohnung. Das Haus hat zwei Stockwerke und drei Wohnungen. Wir wohnen im ersten Stock. Die Wohnung ist schön. Sie hat keine Terrasse, aber einen Balkon.

25

- Also Jan, brauchst du jetzt eine Lampe oder nicht?
- Ich habe genug Lampen. Ich brauche keine.

- Aber du brauchst ein Bett und einen Schrank.
- Ja, ein Bett brauche ich. Wie findet ihr das Bett hier? Es ist nicht teuer. Und bequem.
- Ja, es kostet 350 Euro. Das ist ok.
- Stimmt, das Bett ist nicht schlecht.
- Nehmen wir dann das Bett?
- Ja.
- Toll. Aber wo kaufen wir den Schrank? Hier sind Schränke sehr teuer.
- Ich habe eine Idee. Bei Möbel Bertolt sind jetzt Schränke im Angebot.
- O.k. Dann gehen wir morgen zu Möbel Bertolt und wir kaufen dort einen Schrank.

 ## Familienleben

3a

DIALOG 1:
- Wer ist das?
- Das hier ist mein Onkel Martin und das ist meine Tante Bianca.
- Und die Kinder?
- Links, das ist meine Cousine Caroline. Und rechts, das ist mein Cousin Marc.

DIALOG 2:
- Wer ist das?
- Das ist mein Bruder Alberto und das sind seine drei Kinder, also meine Nichten Rita und Maria und mein Neffe Daniel.

3b

DIALOG 1
- Wer ist das?
- Das ist mein Bruder Alberto und das sind seine drei Kinder, also meine Nichten Rita und Maria und mein Neffe Daniel.

DIALOG 2
- Wer ist das?
- Das hier ist mein Onkel Martin und das ist meine Tante Bianca.
- Und die Kinder?
- Links, das ist meine Cousine Caroline. Und rechts, das ist mein Cousin Marc.

15

- Hallo Ivan, was machen wir am Wochenende in Bremen?
- Also, zuerst kaufen wir Lebensmittel ein, dann frühstücken wir und danach besichtigen wir die Stadt.

- Hat Bremen viele Sehenswürdigkeiten?
- Natürlich! Es gibt zum Beispiel den Roland und die Böttcherstraße. Die besichtigen wir zuerst.
- Und was besichtigen wir noch?
- Es gibt auch noch den Hafen, das Schnoorviertel, …
- Einen Hafen? Das finde ich interessant. Dann machen wir eine Hafenrundfahrt!
- Na ja, der Hafen ist klein und ich finde Hafenrundfahrten langweilig.
- Gut, dann besichtigen wir danach das Schnoorviertel und die Bremer Stadtmusikanten.
- Ja, das machen wir. Das Schnoorviertel ist sehr interessant.

Wichtige Wörter 8a

Zuerst liest Diego eine Zeitung. Danach macht er eine Radtour.
Dann kauft er eine Pizza im Supermarkt. Danach schreibt er eine E-Mail.
Dann fährt er nach Köln. Er besichtigt den Dom. Er trifft Isabel und sie machen zuerst eine Schifffahrt auf dem Rhein.
Danach essen sie im Restaurant.

Isabel trinkt zuerst einen Kaffee. Dann nimmt sie den Bus und besucht ihre Großeltern.
Sie isst zu Mittag. Dann lernt sie Deutsch. Danach chillt sie. Sie trifft Diego und sie machen zuerst eine Schiffahrt auf dem Rhein. Danach essen sie im Restaurant.

Der Tag und die Woche

2

Ich bin Peter Böhme. Sie fragen, was mein Hobby ist? Also, ich spiele gern Fußball. Wir joggen auch viel beim Training. Aber Joggen finde ich sehr langweilig.

Ich heiße Martin, Martin Berger. Ich lese gern Bücher. Am Wochenende lese ich immer viel. Internet finde ich langweilig. Ich surfe nicht gern im Internet.

Mein Name ist Barbara Veit. Mein Mann und ich tanzen gern. Wir machen einmal pro Woche einen Tanzkurs und gehen auch am Wochenende gern tanzen. Wir haben auch noch andere Hobbys. Ich male gern. Mein Mann spielt gern Fußball. Ich finde Fußball nicht interessant.

Also, ich bin Brigitte Tillner und ich habe viele Hobbys. Ich höre gern Musik, ich schwimme gern und ich tanze gern. Aber ich jogge nicht gern.

4

1
- Wann beginnt der Film?
- Ich glaube um Viertel nach acht.

2
- Beginnt das Fußballspiel um 6 Uhr?
- Nein, um halb sieben

3
- Wann beginnt das Fest?
- Um halb zehn. Wir haben noch Zeit.

19

- Gehen wir heute Abend schwimmen?
- Heute habe ich keine Zeit, ich arbeite am Abend.
- Hast du morgen Zeit?
- Ja, morgen geht es um 18.00 Uhr.
- Geht es auch später?
- Okay. Um 19 Uhr?
- Ja, 19 Uhr ist gut.
- Bis morgen.

22

- Katja Schulze, ja bitte?
- Hallo Katja, hier ist Marina.
- Marina, hallo wie geht es dir?
- Mir geht es gut. Hör mal, Katja, ich bin jetzt ein paar Tage in Köln. Hast du heute Abend Zeit?
- Nein, leider nicht. Aber morgen Abend habe ich Zeit. Was machst du morgen, Marina?
- Hm, morgen Abend ist Donnerstag. Ich treffe Paul und Martin. Und am Freitagabend?
- Mal sehen… Ja, Freitag ist o.k.
- Dann können wir zusammen essen gehen.
- Ja, super Idee. Und was machst du am Samstag?
- Am Samstag fahre ich wieder zurück nach Bremen.

25

- Jochen, was machen wir am Wochenende?
- Ach, ich weiß nicht, Franka. Die Angebote sind so langweilig.
- Und das Fußballspiel Hertha gegen Freiburg? Du findest doch Fußball interessant.
- Ja, aber der SC Freiburg ist nicht interessant.
- Am Abend gibt es ein Konzert in der Philharmonie. Wir findest du das? Es gibt auch Stücke von Beethoven.

- Du weißt, ich höre gerne Musik. Aber wir waren erst am Dienstag in einem Konzert.
- O.k. Dann ist noch das Filmmuseum da. Da läuft am Sonntag ein Film von 1925.
- Ja, das ist sicher interessant, ich liebe alte Filme, aber am Sonntag bin ich nicht da.
- Ich sehe gerade, der Film läuft auch am Samstag um 15.00 Uhr.
- Dann sehen wir den Film am Samstag und am Mittag gehen wir essen.
- Ja, ich kenne ein China-Restaurant. Das ist sehr gut.

Wichtige Wörter 6

- Herr und Frau Vorfelder, Ihre Freunde und Bekannten sagen, Sie sind das Ehepaar mit den 100 Hobbys. Stimmt das?
- Na ja, 100 Hobbys sind natürlich etwas viel, aber wir sind beide schon sehr aktiv. Ich zum Beispiel gehe dreimal pro Woche schwimmen und ich spiele in einer Frauenmannschaft Fußball. Am Sonntagnachmittag gehe ich gerne tanzen.
- Gehen Sie dann mit, Herr Vorfelder?
- Ja natürlich, wir tanzen beide sehr gerne. Aber sonst mache ich nicht so viel Sport. Fußball zum Beispiel finde ich langweilig und Schwimmen mag ich auch nicht. Ich fotografiere viel und gerne und mit Freunden spiele ich jeden Mittwochabend Karten. Außerdem bin ich im Musikverein. Ich spiele Trompete.
- Wie finden Sie die Hobbys von Ihrem Mann?
- Also, Fotografieren finde ich sehr interessant, denn mein Mann macht wirklich schöne Fotos, aber Karten spielen… naja. Ich war einmal dabei und es war doch sehr langweilig für mich.
- Sie gehen zusammen tanzen. Was machen Sie außerdem noch zusammen?
- Wir finden beide Karaoke singen gut. Das machen wir auch gerne mit Freunden zusammen.
- Aber das machen wir nicht so oft. Vielleicht einmal im Monat, denn in unserem Wohnort gibt es keine Karaokebar. Wir müssen immer 50 Kilometer nach Berlin fahren.

6 Guten Appetit!

16

Meine Damen und Herren! Heute haben wir für Sie im Angebot: ein Becher Joghurt für nur 69 Cent, ein Pfund Kaffee für nur 3,99 €. Eine Tafel Schokolade bekommen Sie heute schon für 59 Cent. Und unser Backshop hat heute Apfelkuchen im Angebot: das Stück für nur 1,40 €.

18

- Guten Tag, was möchten Sie?
- 300 g Hackfleisch, bitte
- 300 Gramm Hackfleisch, das macht 2,40 €. Haben Sie noch einen Wunsch?
- Ja, ich nehme auch 5 Scheiben Schinken.
- Ist das alles?
- Ja, vielen Dank.
- Das macht dann zusammen 4,10 €. Haben Sie es passend?
- Nein, leider nicht. Ich habe nur 10 Euro.
- Dann bekommen Sie 5,90 Euro zurück.

23a

- Herr Fechner, was essen Sie zum Frühstück?
- Ich esse oft Brot mit Marmelade.
- Und was trinken Sie?
- Am Morgen trinke ich immer Kaffee.
- Und Sie Frau Mertens, was essen Sie oft zum Mittagessen?
- Ich esse eine Suppe und dazu einen Salat.
- Robert, was isst du zum Abendessen?
- Ich esse immer zwei Brote mit Wurst und Tomaten und manchmal auch nur Tomaten.
- Und was trinkst du?
- Tee oder Apfelsaft.

Wichtige Wörter 6a

1
- Hallo Ewa, magst du Pudding mit Salz und Pfeffer?
- Nein, das finde ich furchtbar.

2
- Erik. isst du gern Müsli mit Äpfel und Birnen?
- Ja, das mag ich.

3
- Maria, findest du Kaffee mit Honig gut?
- Nein, das trinke ich ganz bestimmt nicht.

Arbeit und Beruf

13

1

Meine Arbeit fängt um 18 Uhr am Abend an. Ab 19 Uhr kommen viele Leute, denn sie wollen essen. Dann habe ich viel Arbeit. Leider verdiene ich sehr wenig. Am Samstag und Sonntag arbeite ich manchmal auch am Mittag.

2

Ich arbeite immer am Vormittag in einer Schule. Die Kinder sind 6 bis 10 Jahre alt. Sie lernen schreiben, lesen und rechnen. Ich verdiene nicht schlecht. Die Arbeit ist aber manchmal anstrengend, denn die Kinder sind oft laut und sitzen nicht ruhig.

3

Ich bin Briefträgerin. Ich fange schon sehr früh mit der Arbeit an. Zuerst sortiere ich die Post, dann bringe ich sie zu den Leuten. Die Arbeit ist gut, ich bin viel draußen und das ist schön. Manchmal habe ich aber auch Probleme: Ich kann die Adressen schlecht lesen oder es ist sehr kalt.

17a

- Stephanie, ich gehe jetzt einkaufen.
- Gut, Thomas, aber zuerst musst du zur Bank gehen. Wir brauchen Geld.
- O.k, ich hole 200 Euro.
- Und wir müssen auch noch 150 Euro für die Kita von Robert überweisen.
- Gut, hier ist ein Formular. Mal sehen, hast du die Bankverbindung von der Kita?
- Ja, die ist hier. Das ist bei der Regiobank in Potsdam. Mal sehen: Die IBAN ist DE69 10070000 0319273403.

17b

- Wie bitte? Kannst du das wiederholen?
- Also die IBAN ist DE69 10070000 0319273403.
- Und ich muss 150 Euro überweisen?

Gute Besserung!

5

1
- Praxis Dr. Vogt, guten Tag.
- Guten Tag, mein Name ist Freitas. Ich hätte gerne einen Termin.
- Nächste Woche am Donnerstag um 16.45 Uhr?

- Oh, nein. Das geht nicht. Ich arbeite bis kurz vor fünf.
- Können Sie um Viertel vor sechs hier sein?
- Ja, das geht.
- Gut, dann am Donnerstag um 17.45 Uhr.
- Danke, auf Wiederhören.

2 Das ist der Anrufbeantworter der Praxis Dr. Brandt. Sie rufen außerhalb unserer Sprechzeiten an. Unsere Sprechzeiten sind Montag, Dienstag , Donnerstag und Freitag von 8 bis 12.30 Uhr sowie am Donnerstag von 15 bis 19 Uhr. In dringenden Notfällen …

14

- Hi Anja,wie geht's?
- Ach, mir geht es gut. Aber Marian ist schon wieder krank.
- Oh, der Arme. Er ist oft krank. Gehst du dann immer zum Arzt?
- Nein, meistens gehe ich nicht sofort zum Arzt. Ich messe immer zuerst Fieber. Dann koche ich einen Tee. Trinken ist immer gut. Aber manchmal will Marian keinen Tee trinken, er will lieber Cola. Aber Cola ist nicht gesund, deshalb gebe ich Marian kein Cola. Er soll Tee trinken. Das ist am besten. Ja, und dann lese ich ein Buch vor, das mag er gern. Dann schläft er meistens auch ein bisschen. Und natürlich schreibe ich eine Entschuldigung für die Schule.

25

- Guten Tag, liebe Hörerinnen und Hörer. Unsere Sendung heute hat zum Thema „Gesundes Essen". Wir haben vier Menschen gefragt: Ist für Sie gesundes Essen im Leben wichtig?

1
- Was denken Sie, Herr Meyer?
- Gesundes Essen, das heißt jeden Tag fünf Portionen Obst und Gemüse? Und fünfmal am Tag essen? Ich habe gar nicht so viel Zeit. Ist gesundes Essen wichtig? Ich glaube nicht. Viele Leute essen nicht so gesund, rauchen vielleicht auch und sie werden alt und bleiben doch gesund.

2
- Frau Westerholz, was ist Ihre Meinung?
- Gesundes Essen ist ganz wichtig, besonders für Kinder. Viele Kinder sind ja zu dick und unsportlich.

3
- Herr Murakini, was denken Sie?
- In meinem Land sagt man, dass man viel

Gemüse und Fisch essen soll. Und man soll nicht zu viel essen. Lieber ein bisschen zu wenig, das ist besser als zu viel. Gesund leben – ja, das ist wichtig.

4 ● Frau Wagner, ist für Sie gesundes Essen wichtig?
  ● Ach, ich weiß nicht, man muss auch Spaß am Leben haben. Das ist auch wichtig. Ich mag gern gutes Essen, ich esse gern Fleisch und Süßes mag ich auch, das ist wichtig für mich. Ich glaube, wenn ich zufrieden bin, dann bin ich auch gesund.

Wichtige Wörter 6

1 der Arm und das Bein
2 der Fuß und die Hand
3 der Rücken und der Bauch
4 der Oberschenkel und der Unterschenkel
5 die Lippen und der Mund
6 der Finger und der Zeh
7 die Wimpern und das Auge
8 die Wirbelsäule und der Rücken

 ## Wege durch die Stadt

1b

● Sagt mal, wie kommt ihr zum Deutschkurs? Mit dem Auto, dem Zug, dem Bus, der Straßenbahn, der U-Bahn oder geht ihr zu Fuß? Oder nehmt ihr auch das Fahrrad? Ja, Pedro?
● Also, ich fahre meistens mit dem Auto zum Deutschkurs. Manchmal nehme ich auch die U-Bahn oder den Bus. Mit dem Fahrrad fahre ich nie.
● Und du Susanne?
● Ich wohne 30 Kilometer weit weg. Leider habe ich kein Auto. Ich muss also immer den Zug nehmen. Dann nehme ich die Straßenbahn und fahre zum Deutschkurs.
● Und ihr, Madga und Pavel? Ihr kommt ja immer zusammen?
● Ja, und wir können zu Fuß gehen. Wir wohnen ja nicht weit von hier. Oft nehmen wir auch die Fahrräder.

3

Frau Dettinger:
Wir haben ein Auto, aber ich fahre sehr gerne mit dem Fahrrad. In der Stadt ist ein Fahrrad sehr praktisch. Außerdem ist es sehr billig, billiger als das

Auto und gesund. Mit dem Auto fährt immer mein Mann, ich nie.

Herr Scolari:
Ich fahre sehr gerne Auto. Das ist sehr bequem. Ich benutze es für die Fahrt zur Arbeit und am Wochenende mache ich mit meiner Familie gerne Ausflüge mit dem Auto. Leider aber ist das Fahren auch teuer.

Herr Alexandrov:
Hier in Deutschland fahren viele Leute Rad, aber ich nicht. In meiner Heimat benutzen nur wenige Leute Fahrräder und ich kann auch nicht Rad fahren. Ein Auto habe ich nicht. Hier in Hamburg nehme ich oft die U-Bahn und die S-Bahn. So kommt man sehr schnell durch die Stadt.

4

● Frau Meister, Sie sind Lehrerin und arbeiten in der Anne-Frank Schule in Lübeck. Wie kommen Sie jeden Morgen zur Arbeit?
● Ich brauche ziemlich lange. Ich kann leider nicht mit dem Zug fahren, denn bei uns gibt es keinen Bahnhof. Ich fahre jeden Tag mit dem Auto. Meistens ist viel Verkehr, dann brauche ich morgens eine ganze Stunde. Ja, das ist viel Zeit.

16

● Entschuldigung, ich suche die Post.
● Die Post … ja … Gehen Sie hier geradeaus und dann die zweite Straße links.
● Ja, die zweite links. Und dann?
● Dann die nächste Straße rechts und sofort wieder links.
● Also geradeaus, die zweite links, dann rechts, dann wieder links.
● Ja, genau. Dann sehen Sie schon die Post. Sie brauchen so zehn Minuten.
● Danke schön.

Wichtige Wörter 8

● Frau Haidiri, Sie sind viel unterwegs. Welche Verkehrsmittel benutzen Sie?
● Für die Arbeit und für Einkäufe benutze ich das Fahrrad. Also das Fahrrad benutze ich jeden Tag, auch am Wochenende für Ausflüge. Ich habe auch ein Auto, und das brauche ich auch oft, zum Beispiel, wenn ich meine Eltern besuche. Sie wohnen etwa zwei Autostunden von hier. Manchmal fahre ich auch mit dem Zug, wenn ich weiter weg muss. Fliegen mag ich nicht, also mit Flug-

zeugen mache ich keine Reisen. Ach ja, ich habe auch einen Motorroller, aber den benutze ich nur sehr selten.

Mein Leben

17

- Herr Kowalski, wann sind Sie geboren?
- Ich bin 1975 in Polen geboren.
- Sind Sie in Polen auch zur Schule gegangen?
- Ja, insgesamt 10 Jahre, 1981 bin ich in die Schule gekommen und 1991 war ich mit der Schule fertig.
- Wann sind Sie nach Deutschland gekommen?
- Das war 1999. Ein Jahr früher, also 1998, habe ich geheiratet. Meine Frau ist Deutsche, sie hat in Polen gearbeitet, aber wir sind dann zusammen nach Hamburg gegangen.
- Wo haben Sie Deutsch gelernt?
- Das war in einer Sprachschule in Hamburg. Ich habe von 2000 bis 2001 Deutschkurse an der Volkshochschule gemacht und danach war ich Hausmeister in einer Schule in Köln.
- Aber jetzt sind Sie nicht mehr Hausmeister. Wie lange haben Sie in der Schule gearbeitet?
- Angefangen habe ich 2002 und aufgehört habe ich 2013. Jetzt lerne ich den Beruf Altenpfleger. Das mache ich seit Anfang 2014.
- Herr Kowalski, vielen Dank für das Interview.

19

- Guten Tag, schön, dass Sie gekommen sind. Ich heiße Gabriele Grunwald, ich bin die Lehrerin von der Klasse 3.
- Guten Tag, mein Name ist Rai. Das ist meine Frau.
- Guten Tag.
- Guten Tag. Ja, wir wollen doch heute über Ihre Tochter Deepah sprechen. Sie kommt ja jetzt in meine Klasse. Wie alt ist sie jetzt?
- Sie ist neun Jahre.
- Wann ist sie in die Schule gekommen?
- Vor drei Jahren, sie war sechs Jahre alt.
- Hatte sie Probleme in der Schule?
- Nein, sie ist immer gern zur Schule gegangen, sie hat gern gelernt, sie hatte gute Noten, besonders in Mathematik.
- Kann Deepah schon Deutsch sprechen?

Kann sie alles verstehen?
- Ja, sie hat schon Deutsch in der Schule gelernt, sie kann aber nicht alles verstehen, sie braucht Hilfe.

20b

- Ja, da habe ich ein Angebot für Sie. Es gibt hier einen Verein, er heißt „Schülerhilfe". Dieser Verein hilft Schülern, wenn sie Probleme haben. Die Schülerhilfe ist für deutsche und für ausländische Schüler.
- Und was kostet das?
- Das kostet nichts, die Leute helfen ehrenamtlich.
- Ehrenamtlich, was bedeutet das?
- Ehrenamtlich heißt, es ist nicht ihr Beruf, sie bekommen kein Geld. Die Leute machen es, weil sie helfen wollen.
- Das ist eine gute Chance. Das kann Deepah machen. Sie ist bestimmt sehr fleißig und brav.
- Ja, dann spreche ich mit dem Verein.
- Vielen Dank.

Wichtige Wörter 4 a+c

Am Freitag sind Fatima und Simon in Berlin angekommen. Es war sehr spät, schon 21 Uhr. Sie haben in einem schönen Hotel gewohnt und ihr Zimmer war sehr gemütlich. Am Samstagvormittag haben sie den Bus genommen und eine Stadtrundfahrt gemacht. Sie sind zum Alexanderplatz gefahren. Danach haben sie die Museumsinsel gesehen. Unterwegs sind sie an vielen bekannten Gebäuden vorbeigekommen, zum Beispiel am Brandenburger Tor und am Reichstag. Nach der Busfahrt haben sie gemütlich einen Kaffee getrunken. Am Abend sind sie in ein tolles Konzert gegangen. Am Sonntag sind sie sehr spät aufgestanden und haben nach dem Frühstück auf dem Balkon vom Hotelzimmer gesessen. Am Nachmittag haben sie einen Ausflug nach Potsdam gemacht und am Abend nach dem Ausflug haben sie in einem Restaurant in Berlin gegessen.

Ämter und Behörden

6

- Mein Name ist Stefan Ruland und ich bin am 14.5.1977 geboren. Meine Frau heißt Katrin und ist am 3.6.1979 geboren. Wir wohnen seit dem 18. April 2012 in Hamburg.
- Sind Sie verheiratet?
- Ja, wir haben 2005 geheiratet.

- Und wann genau?
- Das war im Dezember, am 14.12.2005.
- Und wann ist Ihr Sohn geboren?
- Jens ist am 31.1.2007 geboren.
- Wann haben Sie eigentlich Ihren Führerschein gemacht?
- Da muss ich mal im Führerschein gucken … Ja, hier steht es: Das war am 11.4.1997. Und der Führerschein ist sehr wichtig für mich. Ich arbeite seit 2010 als Taxifahrer.
- Und seit wann genau?
- Seit dem 1. Februar 2010.

11

- Entschuldigung, können Sie mir helfen?
- Ja gern, was kann ich für Sie tun?
- Ich habe hier ein Formular und verstehe das Wort berufstätig nicht.
- Haben Sie eine Arbeit?
- Ja, ich bin Verkäufer.
- Dann sind Sie berufstätig.
- Ah, okay, vielen Dank.

17b

Heute geht Herr Darbo zum Ausländeramt.
Er möchte sein Visum verlängern. Er hat einen
Termin um 11 Uhr im 1. Stock in Zimmer 134.

Wichtige Wörter 5 + 6

Am Info-Center

- Ich suche das Büro von Frau Vekantesh.
- Sie ist in Zimmer 313.

Bei der Volkshochschule

- Welchen Kurs möchten Sie besuchen?
- Ich möchte den Französischkurs A2 machen.
- Kann ich bitte kurz mal Ihren Kugelschreiber benutzen?
- Ja natürlich, gerne.

Bei der Kfz-Zulassungsstelle

- Für die Abmeldung von Ihrem Auto brauche ich die Nummernschilder.
- Einen Moment, die muss ich noch holen.

Beim Standesamt

- Können wir noch im Dezember einen Heiratstermin bekommen?
- Wir haben noch am 21. oder 22. Dezember Termine frei. Passt Ihnen zum Beispiel der 22. Dezember um 11?

Beim Einwohnermeldeamt

- Wann sind Sie nach Emmendingen gezogen?
- Das war am 14. Oktober, also vor 10 Tagen.

Beim Wohnungsamt

- Guten Tag, ich möchte einen Antrag auf Wohngeld stellen.
- Dann brauche ich Ihren Mietvertrag und eine Gehaltsabrechnung.

Beim Ausländeramt

- Guten Tag, ich möchte mein Visum verlängern.
- Dann brauche ich zuerst Ihren Pass.

Im Warteraum

- Entschuldigen Sie bitte, wo finde ich hier die Wartenummern?
- Wartenummern finden Sie rechts am Eingang.

 ## Im Kaufhaus

9

Karin Tönges:
Ich habe zwei Kinder. Die brauchen immer etwas.
Früher habe ich auch gern für mich eingekauft, früher bin ich in Boutiquen gegangen, das hat mir Spaß gemacht. Aber jetzt habe ich keine Zeit mehr. Jetzt kaufe ich meistens nur Kleidung für die Kinder. Meistens gehen wir zum Sommer- oder zum Winterschlussverkauf in die Kaufhäuser. Das ist nicht so teuer. Ich will und kann nicht so viel Geld ausgeben.

Rolf Schubeck:
Einkaufen? Nee, das mache ich nicht gerne! Manchmal brauche ich natürlich neue Kleidung. Meine Frau will dann für mich die Kleidung kaufen und ich soll mitkommen. Aber das will ich nicht. Ich kaufe gerne im Internet. Das geht schnell und man muss nicht so viel in der Stadt rumlaufen. Boutiquen finde ich ganz furchtbar. Meine Frau geht manchmal einen ganzen Tag in die Stadt und kauft ein. Das finde ich schrecklich.

Denise Berger:
Ich bin Studentin und habe nicht so viel Geld. Ich kaufe meistens auf dem Flohmarkt. Da kann man immer etwas Interessantes finden und es ist günstig. Ich gehe auch gerne shoppen, mit meiner Freundin gehe ich in die Stadt, in die Kaufhäuser. Aber wir kaufen meistens nichts. Wir schauen nur. Manchmal probieren wir auch etwas an. Das macht Spaß.

12

- Guten Tag, kann ich Ihnen helfen?
- Ja, ich suche einen Mantel.
- Mäntel haben wir hier. Welcher Mantel gefällt Ihnen?
- Kann ich den weißen Mantel anprobieren?
- Ja, natürlich. … Wie gefällt Ihnen der Mantel?
- Ach, nein, der gefällt mir nicht. Haben Sie auch Jacken?
- Ja, hier sind Jacken. Die gelbe Jacke ist zum Beispiel sehr elegant.
- Gelb? Nein. Aber ich möchte die braune Jacke anprobieren.
- Gern. Ja, die braune Jacke sieht sehr gut aus.
- Ach nein, die gefällt mir auch nicht.
- Möchten Sie vielleicht die rote Jacke anprobieren?
- Nein, danke. Ich gehe erst mal einen Kaffee trinken.

15

1 Kann ich Ihnen helfen?
2 Wie findest du den Pullover?
3 Wo kann ich das bezahlen?
4 Wie lange haben Sie geöffnet?

18b

1 • Kann ich Ihnen helfen?
  • Ja, ich möchte den schwarzen Pullover kaufen, aber ich finde kein Preisschild.
  • Die Pullover sind alle im Angebot, sie kosten 24 Euro 50.

2 • Entschuldigung. Können Sie mir helfen?
  • Ja, was möchten Sie?
  • Ich habe diesen Rock in Größe 44 anprobiert, aber er ist zu groß. Haben Sie den auch in Größe 42?
  • Diesen Rock in Größe 42? Moment bitte, 40, 44. Nein, tut mir leid, in Größe 42 haben wir den Rock nicht mehr.

19

1 20 – 43 – 65 – 98 – 30 – 21 – 54 – 40 – 76 – 90 – 43

2 52 – 55 – 60 – 74 – 66 – 75 – 87 – 40 – 98 – 89 – 47 – 52

20b

Am Wochenende muss ich einkaufen. Ich brauche einen Wintermantel und Winterschuhe. Meine Frau kommt vielleicht auch mit und hilft mir. Sie geht gerne einkaufen. Sie kauft gerne Schuhe, Taschen und Modeschmuck.

Auf Reisen

5

1 Meine Damen und Herren, bitte beachten Sie: Der Regionalexpress RE 234 nach Nienburg fährt heute von Gleis vier und nicht von Gleis 22.

2 Der ICE von Stuttgart über Kassel und Hannover nach Hamburg fährt jetzt auf Gleis 5 ein. Die Wagen der ersten Klasse halten in den Abschnitten A und B, die Wagen der zweiten Klasse in den Abschnitten C bis E. Bitte Vorsicht bei der Einfahrt.

6

- Guten Tag.
- Guten Tag, ich hätte gern eine Fahrkarte von Köln nach Freiburg.
- Wann möchten Sie fahren?
- Ich möchte morgen früh fahren. Ab 8 Uhr.
- Um 8 Uhr 53 fährt ein EC. Sie sind um 12 Uhr 53 in Freiburg.
- Muss ich umsteigen?
- Nein, der Zug fährt direkt. 1. oder 2. Klasse?
- Zweite Klasse, bitte.
- Haben Sie eine BahnCard?
- Ja, ich habe eine BahnCard 25.
- Möchten Sie eine Reservierung?
- Ja, mit Reservierung, bitte.
- Das macht dann 63,75 Euro.
- Kann ich mit EC-Karte bezahlen?
- Ja, natürlich.

12

- Hi Ilona. Was machen wir heute?
- Ich weiß nicht. Heute ist das Wetter schlecht. Es ist nass, es regnet und es ist kalt.
- Und windig ist es auch. Wirklich nicht angenehm. Ich bleibe zu Hause.
- Ja, die Radtour können wir heute nicht machen. Schade, gestern war es so schön. Es hat nicht geregnet. Keine Wolke am Himmel.

- Ja, die Sonne hat geschienen und es war warm. Hoffentlich ist es morgen wieder schön. Dann können wir um den See fahren.

20b

Der Urlaub war wunderschön und das Wetter war fantastisch. Zuerst sind wir mit dem Zug nach München gefahren. Die Fahrt war interessant. In Prien am Chiemsee haben wir dann das preiswerte Hotel Seeblick gefunden. Die Zimmer waren gemütlich, aber sehr klein. Am nächsten Tag haben wir eine Wandertour um den wunderschönen See gemacht und sind auf einen Berg gestiegen. Oben war es windig und wir haben den warmen Pullover und die lange Jacke angezogen. Leider ist der Urlaub schon zu Ende, wir sind wieder zu Hause und hier ist das Wetter nasskalt und windig.

 Zusammen leben

2

- Mein Name ist René Zinke und ich wohne in einem Mietshaus, im 1. Stock rechts.
- Und wer wohnt noch bei Ihnen im Haus?
- Neben mir im 1. Stock wohnt Familie Jordan. Sie haben zwei kleine Kinder, ein Baby und einen Jungen. Der ist vielleicht drei Jahre alt. Frau Jordan ist immer sehr nett, sie hat mir auch schon oft geholfen.
- Und im zweiten Stock?
- Über mir wohnen zwei Studentinnen. Sie heißen Anne Rachwitz und Mirja Malek. Neben Anne und Mirja wohnen Herr und Frau Neuer. Sie haben keine Kinder … oder vielleicht sind die Kinder schon erwachsen, das weiß ich nicht genau. Ich kenne sie nicht so gut.
- Und kennen Sie auch die Leute im Erdgeschoss?
- Ja, aber nicht so gut. Unter mir im Erdgeschoss wohnt ein älterer Herr, er heißt Röder. Und neben Herrn Röder, im Erdgeschoss links, wohnt Familie Semra. Sie haben auch zwei Kinder. Aber die Kinder sind schon groß, 15 oder 16 Jahre. Sie kommen aus Kenia, aber sie sprechen sehr gut Deutsch. Sie leben schon lange hier.

10

- Hallo, ich glaube, wir kennen uns noch nicht. Mein Name ist Maluszek, Igor Maluszek.
- Sind Sie neu hier?
- Schönes Wetter heute.
- Hm, das schmeckt gut. Haben Sie das selbst gemacht?
- Die Musik ist gut. Wollen wir tanzen?
- Der Regen ist schrecklich. Es regnet schon den ganzen Tag.

11

- In einem Mietshaus kann es manchmal Probleme geben. Wir haben einige Leute zu diesem Thema befragt. Frau Vukovic, erzählen Sie doch bitte.
- Also, bei uns hat es letztes Jahr viele Probleme gegeben. Im Winter war es an einem Samstagvormittag plötzlich sehr kalt. Die Zentralheizung hat nicht mehr funktioniert. Erst am Abend ist der Hausmeister mit dem Notdienst gekommen und erst spät in der Nacht war meine Wohnung wieder warm. Manchmal funktioniert das Licht im Treppenhaus nicht. Dann muss immer der Hausmeister kommen und die Lampe reparieren.
- Und Herr Heinlein, was haben Sie schon erlebt?
- Das Mietshaus, in dem ich wohne, ist schon sehr alt und viele Sachen funktionieren nur schlecht. Oft fährt der Aufzug nicht und ich muss zu Fuß zu meiner Wohnung laufen. Das ist anstrengend, denn ich wohne im vierten Stock. Vor einigen Wochen war viel Müll von anderen Mietern im Treppenhaus. Ich habe deshalb die Hausverwaltung angerufen. Ein Mann von der Hausverwaltung hat mit den Mietern gesprochen und die Mieter haben dann alles aufgeräumt.

CD Inhalt

Auf diesen CDs finden Sie alle Hörtexte zum Arbeitsbuch.

A1.1

Nr			Seite
1.1		Nutzerhinweis	
	Lektion 1	Willkommen!	
1.2	Ü1	Wie heißen Sie?	4
1.3	Ü2	Begrüßungsdialog	4
1.4	Ü4	Begrüßungsdialog 2	4
1.5	Ü8a	Das Alphabet	5
1.6	Ü8b	Die besonderen Buchstaben	5
1.7	Ü9	Abkürzungen	5
1.8	Ü10	Wie heißen die Leute?	6
1.9	Ü12	Formell oder informell?	6
1.10	Ü13	Mein Name ist Schmitt.	7
1.11	Ü14	Jemanden begrüßen/verabschieden	7
1.12	Ü15	Jemanden begrüßen/verabschieden 2	7
1.13	Ü22	Zahlen bis 20	9
1.14	Ü24	*Sie* oder *du*?	10
1.15	Ü27	In der Sprachschule	11
1.16	Ü28	Wie geht's?	11
1.17	Wörter Ü3	Wörter hören und nachsprechen	13
1.18	Wörter Ü4a	Wörter hören und zuordnen	14
1.19	Wörter Ü4b	Wörter hören und nachsprechen	14
1.20	Wörter Ü5	Hören und Informationen ergänzen	15
	Lektion 2	Alte Heimat, neue Heimat	
1.21	Ü1b	Kontinente	16
1.22	Ü3b	Fragen und Antworten	17
1.23	Ü12b	Zahlen	20
1.24	Ü13	Wie viel kostet …?	20
1.25	Ü15	Telefon-Vorwahlen	21
1.26	Ü17	Telefonnummern	21
1.27	Ü20b	Diktat	22
1.28	Wörter Ü1b	Nomen und Verben	25
1.29	Wörter Ü4	Wörter hören und nachsprechen	25
1.30	Wörter Ü6	Neue Wörter nachsprechen	26
1.31	Wörter Ü7	Wörter im Plural	27
1.32	Wörter Ü8a	Wörter in Gruppen	27
	Lektion 3	Häuser und Wohnungen	
1.33	Ü7a	Bei Familie Canfora	30
1.34	Ü14a+b	Wie finden Irina und Markus die Möbel?	32
1.35	Ü15b	Was ist das?	32
1.36	Ü19	Wo wohnt Familie Müller?	33
1.37	Ü25b+c	Im Möbelhaus	35
1.38	Wörter Ü1	Wörterrätsel	37
1.39	Wörter Ü2	Wörter hören und nachsprechen	37
1.40	Wörter Ü3b	Wörter nachsprechen	38

CD Inhalt

A1.2

CD Inhalt

Pluspunkt Deutsch A1
Leben in Deutschland

Studio: Studio-Kirchberg, Lollar

Redaktion: Dieter Maenner und Laura Nielsen

Tontechnik: Peter Herrmann

Regie: Peter Herrmann

Musik: Peter Herrmann

Copyright: © Peter Herrmann, Studio Kirchberg, Lollar

Sprecherinnen und Sprecher: Kartrin Bürger, Christian Burggraf, Knut Eisold, Jacqueline Herrmann, Peter Herrmann, Jessica Homann, Mira Leyerer, Alexander Liebe, Cordula Poos, Max Richter, Johannes Seeliger, Justine Seewald, Stefan Skrzek, Patricia Stasch, Manuela Weichenrieder

Titelbild: © Cornelsen Schulverlage / Hugo Herold Fotokunst

Umschlaggestaltung, Layout und technische Umsetzung: finedesign Büro für Gestaltung, Berlin

Arbeitsbuch Teilband 1: 978-3-06120564-5

Arbeitsbuch Teilband 2: 978-3-06120567-6

Kursbuch Gesamtband: 978-3-06-120552-2

Kursbuch Teilband 1: 978-3-06120563-8

Kursbuch Teilband 2: 978-3-06120566-9

Handreichung für den Unterricht A1: 978-3-06-120572-0

Bildquellen

Cover Cornelsen Schulverlage, Hugo Herold – **S. 4** Cornelsen Schulverlage, Hugo Herold – **S. 6** 1: Fotolia, Gina Sanders; 2: Fotolia, Robert Kneschke; 3: Fotolia, eyetronic; 4: Fotolia, Janina Dierks – **S. 8** 1: Fotolia, contrastwerkstatt; 2: Fotolia, Valua Vitaly; 3: Shutterstock, Donskaya Olga – **S. 9** 1: Fotolia, Lucky Dragon; 2: Shutterstock, Nola Rin; 3: Fotolia, babimu; 4: Fotolia, Petair; 5: Fotolia, KABUGUI – **S. 11** 1: Fotolia, Kzenon; 2: Shutterstock, bikeriderlondon – **S. 14** Cornelsen Schulverlage, Hugo Herold – **S. 15** Cornelsen Schulverlage, Hugo Herold – **S. 16** Cornelsen Schulverlage, Dr. Volker Binder – **S. 18** oben 1: akg-images / Marion Kalter; oben 2: action press / XINHUA; oben 3: Shutterstock, Fingerhut; unten 1: Fotolia, Marina Lohrbach; unten 2: Fotolia, GoldPix; unten 3: Fotolia, Igor Tarasov; unten 4: Fotolia, B. Wylezich – **S. 19** 5: Fotolia, gradt; 6: Fotolia, by-studio; 7: Fotolia, by-studio; 8: Fotolia, Schlierner – **S. 20** 1: Fotolia, PhotoSG; 2: Fotolia, Pixelspieler; 3: Fotolia, ThorstenSchmitt; 4: Fotolia, bystudio – **S. 21** 1: Fotolia, Oliver Raupach; 2: Fotolia, Kristan; 3: Fotolia, M. Klawitter; 4: Fotolia, md3d; 5: Fotolia, somartin; 6: Fotolia, DR – **S. 22** links: Fotolia, Manuel Tennert; rechts: Fotolia, Dan Race – **S. 23** 1: Fotolia, nmann77; 2: Fotolia, eyewave; 3: Shutterstock, Symbiot; 4: Fotolia, Thomas Francois; 5: Fotolia, Joshhh; 6: Fotolia, fmarsicano; 7: Fotolia, Jacek Chabraszewski; 8: Shutterstock, Victor Maschek – **S. 26** 1: Fotolia, VRD; 2: Fotolia, Kathrin39; 3: Fotolia, Igor Tarasov; 4: Fotolia, gradt; 9: Fotolia, B. Wylezich; 10: Fotolia, Schlierner; 11: Fotolia, ThorstenSchmitt; 12: Fotolia, PhotoSG; 17: Fotolia, Christian Schwier; 18: Fotolia, montebelli; 19: Fotolia, DOC RABE Media; 20: Fotolia, PRILL Mediendesign; 25: Fotolia, rdnzl; 26: Fotolia, Lucky Dragon; 27: Fotolia, by-studio; 28: Fotolia, YK – **S. 27** 5: Fotolia , Adamus; 6: Fotolia, apfelweile; 7: Fotolia, Foto-Ruhrgebiet; 8: Fotolia, Pixelspieler; 13: Fotolia, BEAUTYofLIFE; 14: Fotolia, Olga Kovalenko; 15: Fotolia, Daniela Stärk; 16: Fotolia, jd-photodesign; 21: Fotolia, markus_marb; 22: Fotolia, gena96; 23: Fotolia, Max Diesel; 24: Fotolia, Maceo; 29: Fotolia, by-studio; 30: ClipDealer, Prill Mediendesign & Fotografie; 31: Shutterstock, Yuyula; 32: ClipDealer, Teamarbeit - Heike Brauer – **S. 28** Fotolia, Mihalis A. – **S. 30** oben: Fotolia, VRD; Mitte: Fotolia, Schlierner; unten: ClipDealer, Prill Mediendesign & Fotografie – **S. 32** oben: Fotolia, by-studio; 2. von oben: Fotolia, mekcar; Mitte: Fotolia, Daniel Etzold; 2. von unten: Fotolia, Birgit Reitz-Hofmann; unten: Fotolia, Sondem – **S. 33** oben: Shutterstock, Boudikka; unten links: ClipDealer, ArTo; unten Mitte: Fotolia, Tiberius Gracchus; unten rechts: Fotolia, Jürgen Fälchle – **S. 35** Cornelsen Schulverlage, Hugo Herold – **S. 38** 1: Fotolia, alexandre zveiger; 2: Fotolia, Iriana Shiyan; 3: Fotolia, Monster; 4: Fotolia, Jürgen Fälchle – **S. 39** 5: Fotolia, Sandra Kemppainen; 6: Shutterstock, JPagetRFPhotos; 7: Shutterstock, Elena Elisseeva; 8: Fotolia, bartholomäus – **S. 40** oben + 1 + 2: Fotolia, Monkey Business – **S. 41** links: Shutterstock, Arina P Habich; rechts: Shutterstock, Monkey Business Images – **S. 42** oben links: Fotolia, lu-photo; oben 2. von links: Fotolia, jonasginter; unten links: Fotolia, B. Wylezich; unten 2. von links: Fotolia, maybepix; oben 2. von rechts: Fotolia, Picture-Factory; oben rechts: Fotolia, Markus Mainka; unten 2. von rechts: Fotolia, PhotoSG; unten rechts: Fotolia, B. Wylezich – **S. 44** links: Fotolia, europhotos; 2. von links: Shutterstock, JLR Photography; 2. von rechts: ClipDealer, Fotodesign Czerski; rechts: Fotolia, Kara – **S. 47** links: Fotolia, hanphosiri; oben rechts: Fotolia, Jan Becke; unten rechts: Fotolia, gina191 – **S. 50** oben links: Shutterstock, Nadino; oben Mitte: Fotolia, Marco2811; oben rechts: Shutterstock, 501room; Mitte links: Fotolia, Petair; Mitte: Fotolia, Irina Fischer; Mitte rechts: Fotolia, anweber; unten links: Fotolia, Bacho Foto; unten Mitte: Shutterstock, Jonathan Feinstein; unten rechts: ClipDealer, Arsenii Gerasymenko – **S. 51** oben links: Fotolia, pepmiba; oben Mitte: Fotolia, Dessie; oben rechts: Shutterstock, William Perugini; Mitte links: ClipDealer, A. L; Mitte: Shutterstock, 501room; Mitte rechts: Fotolia, ucius; unten links: Fotolia, Irina Fischer; unten Mitte: Fotolia, seen; unten rechts: Fotolia, Rob – **S. 54** 1: Fotolia, chagin; 2: Shutterstock, Iakov Filimonov; 3: ClipDealer, Monkey Business Images; 4: Fotolia, JackF; 5: Fotolia, benik. at; 6: Fotolia, Syda Productions; 7: Fotolia, Maridav; 8: Shutterstock, Malyugin; 9: Fotolia, mast3r – **S. 60** 1: Fotolia, Sabphoto; 2: Fotolia, Leonidovich; 3: Fotolia, Africa Studio – **S. 68** oben links: Fotolia, rdnzl; oben 2. von links: Fotolia, Pixelspieler; oben 2. von rechts: Fotolia, GVictoria; oben rechts: Fotolia, Nik; Mitte links: Fotolia, Elena Schweitzer; Mitte 2. von links: Fotolia, TrudiDesign; Mitte 2. von rechts: Shutterstock, jeehyun; Mitte rechts: Fotolia, anoli; unten links: Shutterstock, Bork; unten 2. von links: Fotolia, stockphoto-graf; unten 2. von rechts: Fotolia, Kramografie; unten rechts: Fotolia, ILYA AKINSHIN – **S. 69** oben links: Fotolia, flashpics; oben rechts: Mauritius images / Fotoatelier Berlin; unten links: Fotolia, Kzenon; unten rechts: Shutterstock, saaton – **S. 70** 1: Fotolia, TrudiDesign; 2: Fotolia, Paulista; 3: Fotolia, Henry Schmitt; 4: Fotolia unpict; unten: Fotolia, Minerva Studio – **S. 71** links: ClipDealer, Deyan Georgiev; 2. von links: Fotolia, Syda Productions; 2. von rechts: Shutterstock, CandyBox Images; rechts: Shutterstock, Jinga – **S. 72** oben links: Fotolia, Picture-Factory; oben 2. von links: Fotolia, Dani Vincek; oben 2. von rechts: Fotolia, A_Bruno; oben rechts: Fotolia, stockcreations; unten links: Fotolia, UMA; unten 2. von links: Fotolia, Alexandr Steblovskiy; unten 2. von rechts: Fotolia, Kimsonal; unten rechts: Fotolia, Markus Mainka – **S. 76** 1 + 2: Fotolia, eyetronic; 3: Fotolia, Xavier; 4: Fotolia, dimakp; 9: Fotolia, unpict; 10: Fotolia, emer; 11: Fotolia, manulito; 12: Fotolia, Thomas Francois; 17: Fotolia, lantapix; 18: Fotolia, pogonici; 19: Fotolia, kiboka; 20: Fotolia, stockphoto-graf; 25: Fotolia, sergojpg; 26: Fotolia, womue; 27: Fotolia, GVictoria; 28: Fotolia, Zerbor – **S. 77** 5: Fotolia, Barbara Pheby; 6: Fotolia, womue; 7: Fotolia, rdnzl; 8: Shutterstock, jeehyun; 13: Fotolia, Tim UR; 14: Fotolia, Frofoto; 15: Fotolia, mkphotography; 16: Fotolia, ILYA AKINSHIN; 21: Fotolia, Carola Vahldiek; 22: Fotolia, mates; 23: Fotolia, thomasklee; 24: Fotolia, AK-DigiArt; 29: Fotolia, frank11; 30: Fotolia, Schlierner; 31: Fotolia, PhotographyByMK; 32: Fotolia, Barbara Pheby – **S. 78** A: Fotolia, ikonoklast_hh; B: Fotolia, ArTo; C: Fotolia, Peter Heimpel; D: Fotolia, Production Perig; E: Fotolia, Picture-Factory – **S. 82** Fotolia, Daniela Stärk – **S. 85** Shutterstock, Corepics VOF –**S. 88** 1: Fotolia, Samo Trebizan; 2: Shutterstock, Halfpoint; 3: Fotolia, jörn buchheim; 4: Fotolia, Inga Ivanova; 5: Fotolia, drubig-photo; 6: Shutterstock, Kzenon; 7: Fotolia, Andres Rodriguez; 8: Fotolia, WunderBild; 9: Fotolia, goodluz – **S. 89** A: Fotolia, alexandre zveiger; B: Fotolia, krsmanovic; C: Fotolia, spotmatikphoto; D: Fotolia, Christian Müller; E: Fotolia, xy; F: Fotolia, countrylens; G: Fotolia, Peter Atkins; H: Fotolia, terex; I: F1 online, Nico Stengert Novarc Images – **S. 91** 1. Reihe links: Fotolia, Tim UR; 1. Reihe Mitte: Fotolia, eyetronic; 1. Reihe rechts: Fotolia, Henry Schmitt; 2. Reihe links: Fotolia, GVictoria; 2. Reihe rechts: Fotolia, PhotographyByMK; 3. Reihe: Fotolia, Schlierner; 4. Reihe: Shutterstock, Jürgen Fälchle – **S. 92** oben links: Fotolia, apops; oben 2. von links: Fotolia, Ilike; oben 2. von rechts: Fotolia, Alexander Raths; oben rechts: Shutterstock, UncleOles – **S. 93** 1: Fotolia, courtyardpix; 2: Shutterstock, wavebreakmedia; 3: Fotolia, Dirima; 4: Shutterstock, wavebreakmedia – **S. 98** Shutterstock, Dmitry – **S. 99** oben: Fotolia, drubig-photo; Mitte links: Fotolia, dream79; Mitte rechts: Fotolia, adisa; 1: Fotolia, Manuel Tennert; 2: Fotolia, snowwhiteimages; 3: Shutterstock, leungchopan; 4: Fotolia, Kim Schneider – **S. 102** Fotolia, Nicholas Piccillo – **S. 103** links: Fotolia, Warren Goldswain; oben Mitte: Fotolia, CLIPAREA.com; oben rechts: Fotolia, psdesign1; Mitte: Fotolia, CLIPAREA.com; Mitte rechts: Fotolia, nerthuz – **S. 104** 1: Fotolia, thomaslerchphoto; 2 + 3: Shutterstock, Art Konovalov; 4: Fotolia, hansenn; 5: ClipDealer, ArTo; 6: Deutsche Bahn AG, Wolfgang Klee – **S. 105** Fotolia, WavebreakmediaMicro – **S. 106** oben: Deutsche Bahn AG, Wolfgang Klee; 2. von oben: Fotolia, snaptitude; 2. von unten: ClipDealer, Convisum; unten: Fotolia, WavebreakmediaMicro – **S. 110** finedesign – **S. 114** 1: Fotolia, tuniz; 2: Fotolia, Leonid Andronov; 3: Fotolia, Thaut Images; 4: ClipDealer, Tim Mueller-Zitzke; 5: Fotolia, jarma; 6: Shutterstock, Art Konovalov; 7: Deutsche Bahn AG, Günter Jazbec; 8: Deutsche Bahn AG, Wolfgang Klee; 9: Shutterstock, Taina Sohlman; 10: ClipDealer, ArTo; 11: Fotolia, Jenny Thompson; 12: Fotolia, sinuswelle; 13: Fotolia, djama; 14: Fotolia, Torsten Rauhut; 15: ClipDealer, Vaidas Bucys; 16: Fotolia, janniswerner – **S. 115** oben links: Fotolia, Kara; oben Mitte: Shutterstock, Art Konovalov; oben rechts: Deutsche Bahn AG, Wolfgang Klee; unten links: Fotolia, savoieleysse; unten Mitte: Shutterstock, Christian Mueller; unten rechts: Fotolia, tomaf – **S. 116** oben: Shutterstock, maxriesgo; unten: Fotolia, Jeanette Dietl – **S. 121** Shutterstock, eurobanks – **S. 122** Fotolia, Axel Bueckert – **S. 125** 1: Fotolia, Kalinovsky Dmitry, 2013; 2: Fotolia, marima-design; 3: Your photo today, A1 pix, Superbild – **S. 126** oben links: Deutsche Bahn AG, Jet-Foto Kranert; oben rechts: ClipDealer; Mitte links: Fotolia, Frankix; Mitte rechts: Shutterstock, Art Konovalov; unten links: Fotolia, Gennadiy Poznyakov; unten rechts: Fotolia, armina – **S. 127** oben links: Fotolia, eska2012; oben Mitte: Fotolia, ArTo; oben rechts: Fotolia, Thomas Otto; Mitte rechts: Fotolia, HappyAlex; unten links: Fotolia, Katja Xenikis; unten rechts: Fotolia, Nomad_Soul – **S. 128** oben links: Fotolia, stockphoto-graf; oben Mitte: Fotolia, Dron; oben rechts: Bundesagentur für Arbeit; Mitte rechts: Fotolia, kathrinm; unten rechts: Fotolia, Cevahir – **S. 130** Fotolia, Ruslan Guzov – **S. 131** links: Fotolia, JS; 2. von links: Shutterstock, ArTono; 2. von rechts: Fotolia, etfoto; rechts: Fotolia, Tiberius Gracchus – **S. 133** links: Fotolia, viperagp; 2. von links: Shutterstock, oriori; rechts: action press, Markus Hansen – **S. 140** Shutterstock, Voronin76 – **S. 142** 1: Fotolia, TrudiDesign; 2: Fotolia, Andrey Skat; 3: Fotolia, Jonas Glaubitz – **S. 143** oben: Fotolia, Alexandra Karamyshev; Mitte: Fotolia, BEAUTYofLIFE; unten: Fotolia, Monkey Business – **S. 145** oben links: Fotolia, Armin Staudt; oben Mitte: Shutterstock, hxdbzxy; oben rechts: Fotolia, wwwebmeister; unten links: Shutterstock, Johnny Adolphson; unten Mitte: Fotolia, Dasha Petrenko; unten rechts: Fotolia, tecnofotocr – **S. 146** oben links: Fotolia, Jeanette Dietl; oben rechts: Fotolia, Alexandra Karamyshev; Mitte links: Fotolia, Pixi; Mitte rechts: Fotolia, tawesit; unten links: Fotolia, MariaBobrova; unten rechts: Fotolia, ludmilafoto – **S. 147** oben: Fotolia, TrudiDesign; 2. von oben: Shutterstock, Novac Florin; 2. von unten: Fotolia, Thomas Siepmann; unten: Shutterstock, Lisa S. – **S. 149** links + 2. von links: Shutterstock, Roberto Castillo; 2. von rechts: Fotolia, Anna Reich; rechts: Fotolia, monstersparrow – **S. 152** 1: Fotolia, Africa Studio; 2: Shutterstock, Simone Andress; 3: Fotolia, Teamarbeit; 4: Fotolia, Anna Reich; 9: Fotolia, BEAUTYofLIFE; 10: Fotolia, BEAUTYofLIFE; 11: Fotolia, DigitalGenetics; 12: ClipDealer, Edler von Rabenstein; 17: Fotolia, fotografiedk; 18: Fotolia, Tarzhanova; 19: Fotolia, Anna Reich; 20: Fotolia, BEAUTYofLIFE; 25: Fotolia, Alexandra Karamyshev; 26: Fotolia, Lucky Dragon; 27: Fotolia, Otto Durst; 28: Fotolia, BEAUTYofLIFE – **S. 153** 5: Fotolia, Krawczyk-Foto; 6: ClipDealer, Michael Biehler; 7: Fotolia, MaxWo; 8: Fotolia, by-studio; 13: Fotolia, Anterovium; 14: Fotolia, nito; 15: Fotolia , Popova Olga; 16: Shutterstock , Elnur; 21: Fotolia, Khvost; 22: Fotolia, Ruslan Kudrin; 23: Fotolia, lurs; 24: Fotolia, rdnzl; 29: Fotolia, BEAUTYofLIFE; 30: Fotolia, doris oberfrank-list; 31: Fotolia, Liaurinko; 32: Fotolia, Elena Stepanova – **S. 157** unten: Fotolia, lockstoff – **S. 158** Fotolia, Mirscho; Icons in Karte: Shutterstock, Snamenski – **S. 159** links: Fotolia, Olesia Bilkei; rechts: Fotolia, kristall – **S. 161** oben: Fotolia, Joachim B. Albers; 2. von oben: Fotolia, Sergey Borisov; 2. von unten: Fotolia, furtseff; unten: Fotolia, U. Gernhoefer – **S. 164** 1: Fotolia, Africa Studio; 2: Fotolia, Africa Studio; 5: Fotolia, Lulu Berlu; 3: Fotolia, Africa Studio; 4: Fotolia, Africa Studio; 6: Fotolia, Unclesam 6; 7: Fotolia, viperagp; 8: Fotolia, Brian Jackson; 9: Fotolia, Unclesam – **S. 165** 10: Fotolia, siwi1; 11: Fotolia, Valery Bareta; 12: Fotolia, Mushy; 13: Shutterstock, bluecrayola; 14: Shutterstock, bluecrayola; 15: Fotolia, JohanSwanepoel; 16: Fotolia, Nidor; 17: Fotolia, Olesia Bilkei; 18: Fotolia, Grigory Bruev – **S. 169** Shutterstock, stockcreations – **S. 170** 1: Colourbox, Colourbox.com; 2: Fotolia, Elenathewise; 3: Fotolia, Dhoxax; 4: Shutterstock, Jeanette Dietl; 5: finedesign – **S. 173** 1: Shutterstock, Vladyslav Morozov; 2: Fotolia, Th. Lieder; 3: Internationales Straßenfest Sindelfingen e.V.; unten: Internationales Straßenfest Sindelfingen e.V. – **S. 176** 1: Fotolia, alexandro900; 2: Fotolia, focus finder; 3: Fotolia, fefufoto; 7: Fotolia, djama; 8: Fotolia, Roman Sigaev; 9: ClipDealer, Detlef Dittmer; 13: Fotolia, Elenathewise; 14: Fotolia, zabanski; 15: Fotolia, photo 5000; 19: ClipDealer, Karl-Heinz Spremberg; 20: Shutterstock, Tomislav Pinter; 21: Shutterstock, Iriana Shiyan – **S. 177** 4: Fotolia, Tiberius Gracchus; 5: Fotolia, Christoph Hähnel; 6: Shutterstock, mubus7; 10: Fotolia, kasparart; 11: Shutterstock, Yu Lan; 12: Fotolia, Sebastiano Fancellu; 16: Fotolia, Gudellaphoto; 17: ClipDealer, Karl-Heinz Spremberg; 18: Colourbox, Colourbox.com; 22: Fotolia, eyetronic; 23: Fotolia, BG; 24: Fotolia, Jürgen Fälchle – **S. 178** Fotolia, shock

PLUSPUNKT DEUTSCH

Leben in Deutschland

ARBEITSBUCH GESAMTBAND

A1

LÖSUNGEN

Cornelsen

Lösungen

1 Willkommen!

1
- Guten Tag, ich heiße Murielle Ramanantsoa. Wie heißen Sie?
- Ich heiße José Aguilar. Woher kommen Sie?
- Ich komme aus Madagaskar. Und Sie?
- Ich komme aus Peru.

2
- Guten Tag. Ich heiße José Garcias. Wie heißen Sie?
- Ich heiße Magdalena Ziowska.
- Woher kommen Sie?
- Ich komme aus Polen.

4
- Guten Morgen. Mein Name ist Anna Gomes. Ich bin neu hier.
- Guten Morgen. Entschuldigung, wie heißen Sie?
- Ich heiße Gomes. Anna Gomes. Und Sie?
- Ich heiße Funda Aydin. Ich wohne schon lange hier. Woher kommen Sie?
- Ich komme aus Portugal. Und das ist Maria.
- Hallo, Maria. Willkommen!

5
Woher kommen Sie?
Ich komme aus der Ukraine.
Ich wohne schon lange hier.
Ich bin neu hier im Haus.
Mein Name ist Georg Hauser.

6a
Wie heißen Sie? Woher kommen Sie? Wer ist das?

6b
1 Wer ist das?
2 Wie heißen Sie?
3 Woher kommen Sie?

7a
1 Wie heißen Sie?
2 Woher kommen Sie?
3 Wer ist das?

8a
A B C D E F G H I J K L M N O P Q R S T U V W X Y Z

8b
1 ß – 2 Ä – 3 Ö – 4 Ü

9
VHS – BMW – VW – DVD

10
1 Name: Halina Jankowska
2 Name: Fernando Matola, Stadt: Maputo

3 Name: Akina Bürger, Stadt: Kanazawa
4 Name: Matthew Smith, Stadt: Wellington

11a
1 • Guten Tag, Frau Kern.
  • Guten Tag. Wie geht es Ihnen, Herr Böhm?
  • Gut. Und Ihnen?
  • Danke, es geht.
2 • Hallo Felix! Wie geht es dir?
  • Gut. Und dir, Hannah?
  • Danke, gut.

11b
formell: Dialog 1, informell: Dialog 2

12
formell: Dialog 2, Dialog 3
informell: Dialog 1, Dialog 4

13
1 • Guten Tag. Mein Name ist Schmitt, Anna Schmitt. Wie heißen Sie?
  • Guten Tag, Frau Schmitt. Mein Name ist Hans Meyer.
  • Guten Tag, Herr Meyer. Wie geht es Ihnen?
  • Danke, gut und Ihnen?
2 • Hallo. Wie heißt du?
  • Ich heiße Sara. Und du?
  • Ich heiße Lukas.
3 • Hallo, Lukas, wie geht es dir?
  • Danke, gut. Und dir?

14
A Dialog 1, Dialog 3
B Dialog 2, Dialog 4

15
1 Guten Tag. – Guten Morgen. – Hallo.
2 Wie heißen Sie? – Wie heißt du?
3 Auf Wiedersehen. – Tschüss.

16
Wie heißt du?
Wie heißen Sie?
Woher kommen Sie?
Was macht ihr?

17a
du lernst – ich komme – wir wohnen – ihr macht – Sie heißen – du machst – ich heiße – wir kommen – ihr wohnt – Sie lernen

17b

machen: ich mache – du machst – wir machen –
ihr macht – Sie machen

wohnen: ich wohne – du wohnst – wir wohnen –
ihr wohnt – Sie wohnen

lernen: ich lerne – du lernst – wir lernen –
ihr lernt – Sie lernen

kommen: ich komme – du kommst – wir kommen –
ihr kommt – Sie kommen

heißen: ich heiße– du heißt – wir heißen –
ihr heißt – Sie heißen

18

1 ● Wie heißen Sie?
   ● Ich heiße Elisabeth Mahler.
2 ● Was macht ihr?/Was lernt ihr?
   ● Wir lernen Deutsch.
3 ● Woher kommst du?
   ● Ich komme aus Brasilien.
4 ● Wo wohnen Sie?
   ● Ich wohne in Frankfurt.

19a

ich bin – du bist – wir sind – ihr seid – Sie sind

19b

1 ● Wer bist du?
   ● Ich bin Lin.
2 ● Wer sind Sie?
   ● Wir sind Jan und Maria Kowalski.
3 ● Und wer sind Sie?
   ● Ich bin Erkan Öztürk.

20

1 ● Woher kommt ihr?
   ● Wir kommen aus dem Iran.
2 ● Wie heißen Sie?
   ● Ich heiße Christian Weber.
3 ● Was lernst du?
   ● Ich lerne Englisch.
4 ● Wo wohnen Sie?
   ● Ich wohne in Friedberg.
5 ● Wer seid ihr?
   ● Wir sind Laura und Susanne.
6 ● Was macht ihr in Berlin?
   ● Wir lernen Deutsch.

21

1 zehn – **2** neunzehn – **3** zwanzig – **4** vier – fünf –
sechs – **5** dreizehn

23

1 Lehrerin – **2** Ingenieurin – **3** Verkäufer –
4 Friseur – **5** Arzt – **6** Altenpflegerin

24

2 Was sind Sie von Beruf? – Was bist du von
Beruf?
3 Woher kommen Sie? – Woher kommst du?
4 Wo wohnen Sie? – Wo wohnst du?

25a

Ich bin Farid Arslan. Ich komme aus Syrien und ich
bin neu hier. Ich bin Programmierer von Beruf. Ich
lerne Deutsch.

26a und b

Wie heißen Sie und woher kommen Sie? Ich heiße
Clara Bai. Ich komme aus München. Ich wohne schon
lange in Deutschland.

27a

Foto 2

27b

Familienname: Gonzalez – **Vorname:** Javier –
PLZ: 48565 – **Telefonnummer:** 0171 678329 –
E-Mail: gonzales@gma.de – **Land:** Spanien –
Beruf: Student – **Sprachkurs:** B1

28

2 Es geht. – **3** Sehr gut. – **4** Schlecht. – **5** Gut.

Wichtige Wörter

1

Beispiel:

Wer?	● Wer ist das?	● Das ist Lola.
Wo?	● Wo wohnen Sie?	● Ich wohne in Dortmund.
Woher?	● Woher kommen Sie?	● Ich komme aus Peru.

5

Familienname: Morales
Vorname: Eva
Land: Peru
Beruf: Ingenieurin

Lösungen

2 Alte Heimat, neue Heimat

1a
Afrika – Europa – Nordamerika – Australien –
Asien – Südamerika

2b
2 Kenia liegt in Afrika.
3 China liegt in Asien.
4 Deutschland liegt in Europa.
5 Brasilien liegt in Südamerika.

3a
1D – **2**C – **3**A – **4**B

3b
Frage 4 und Antwort 1 – **Frage 1** und Antwort 2 –
Frage 2 und Antwort 3 – **Frage 3** und Antwort 4

4
1 sind – wohnen – lernen
2 kommt – ist – sucht – spricht
3 heißen – sprechen – ist – arbeiten

5
kommen: ich komme – du kommst – er/sie kommt –
     wir kommen – ihr kommt – sie kommen –
     Sie kommen
suchen: ich suche – du suchst – er/sie sucht –
     wir suchen – ihr sucht – sie suchen – Sie
     suchen
heißen: ich heiße – du heißt – er/sie heißt –
     wir heißen – ihr heißt – sie heißen – Sie
     heißen
arbeiten: ich arbeite – du arbeitest – er/sie arbeitet
     – wir arbeiten – ihr arbeitet– sie arbeiten –
     Sie arbeiten
sprechen: ich spreche – du sprichst – er/sie spricht –
     wir sprechen – ihr sprecht – sie sprechen –
     Sie sprechen
sein: ich bin – du bist – er/sie ist – wir sind –
     ihr seid – sie sind – Sie sind

6
1 Sie – Sie
2 Er – Er – er
3 Sie – Sie

8
2 die Flasche – **3** das Papier – **4** die Lampe –
5 das Fenster – **6** der Schlüssel – **7** das Handy –
8 die Tasche

9a
1 der Tisch – **2** der Stuhl – **3** das Buch –
4 das Heft – **5** die CD – **6** der Bleistift –
7 die Uhr – **8** der Kugelschreiber

9b
2 Das ist ein Stuhl. Der Stuhl kostet 12 Euro.
3 Das ist ein Buch. Das Buch kostet 8 Euro.
4 Das ist ein Heft. Das Heft kostet 1 Euro.
5 Das ist eine CD. Die CD kostet 17 Euro.
6 Das ist ein Bleistift. Der Bleistift kostet 50 Cent.
7 Das ist eine Uhr. Die Uhr kostet 18 Euro.
8 Das ist ein Kugelschreiber. Der Kugelschreiber
    kostet 3 Euro.

10a
Das sind fünf Bleistifte, zwei Brillen, drei Bücher,
zwei Hefte, zwei Lampen, zwei Schlüssel, vier Stühle,
drei Tablets, drei Taschen, vier Uhren.

10b
-e (+ Umlaut): das Heft, die Hefte – der Bleistift,
     die Bleistifte – der Stuhl, die Stühle
-en: die Uhr, die Uhren
-n: die Brille, die Brillen – die Lampe,
     die Lampen – die Tasche, die Taschen
- : der Schlüssel, die Schlüssel
-s: das Tablet, die Tablets
-er (+Umlaut): das Buch, die Bücher

11
fünfundzwanzig, neunundvierzig, einundachtzig

12a
sechzehn – zweiunddreißig – vierundsechzig –
einhundertachtundzwanzig –
zweihundertsechsundfünfzig – fünfhundertzwölf –
tausendvierundzwanzig

13
1 565 Euro – **2** 35 Euro – **3** 57 Euro – **4** 64 Euro

14
1 Siebzehn plus drei ist zwanzig. – **2** Dreiunddreißig
minus zehn ist dreiundzwanzig. – **3** Neunhundertneunundneunzig minus neunundneunzig ist neun-
hundert. – **4** Einhundertzwölf plus achtundachtzig
ist zweihundert.

15
1 089 – **2** 069 – **3** 030 – **4** 49 – **5** 43 – **6** 41.

16
Polizei 110
Feuerwehr/Notruf 112

17
2 64 62 08 – **3** 0152 / 25 37 52 482 –
4 030 / 23 90 52

18

1 B – **2** C – **3** B – **4** B – **5** A – **6** C

19a

Das ist Heiner Waltermann. Er ist Programmierer von Beruf. Er wohnt in Oldenburg, Sandweg 3. Die Handynummer ist 0171 / 451232. Er ist 32 Jahre alt.

19b

Das ist Frau Schmidt. Sie ist 25 Jahre alt. Sie ist Altenpflegerin von Beruf. Sie wohnt in Gießen, Lahnstraße 17. Die Handynummer ist 0174 23 98 65

20a

groß: Namen von Personen: Martin Berger
Namen von Ländern, Kontinenten und Städten:
Frankfurt – Berlin – Europa
Sprachen: Spanisch – Deutsch
Berufe: Ingenieur – Arzt
Nomen: der Beruf – die Telefonnummer
klein: andere Wörter: zehn, sprechen, leben, lieben, arbeiten, kommen

20b

Herr Berger kommt aus Frankfurt. Er ist Arzt. Er spricht Deutsch. Er lebt und arbeitet in Berlin.

21a

1 Apotheke – **2** Café – **3** Formular – **4** Kasse – **5** Oper – **6** Pass – **7** Pizza – **8** Schokolade

21b

1 Formular – **2** Pass – **3** Café – **4** Schokolade – **5** Kasse – **6** Apotheke – **7** Pizza – **8** Oper

22a

Café, das, -s,
Formular, das (-e)
Pass, der, Pässe

22b

die Apotheke, die Apotheken – das Café, die Cafés – das Formular, die Formulare – die Kasse, die Kassen – die Oper, die Opern – der Pass, die Pässe – die Pizza, die Pizzen/die Pizzas – 4. die Schokolade, die Schokoladen

23a

1 D – **2** H – **3** G – **4** F – **5** C – **6** E – **7** A – **8** B

Wichtige Wörter

1a

A 2 – **B** 4 – **C** 1 – **D** 3

1b

1 Wörter und Grammatik lernen
2 ein bisschen Deutsch sprechen
3 bei Mercedes arbeiten.
4 Arbeit suchen

2

die/eine Arbeit – die/eine Adresse – der/ein Beruf – das/ein Jahr – das/ein Land – der/ein Platz

3

1 das Papier und der Bleistift
2 der Schlüssel und die Tür
3 die Straße und die Hausnummer
4 die Kita und das Anmeldeformular
5 das Land und die Nationalität
6 die Telefonnummer und die Vorwahl

5

2 die Brille, -n –	**21** der Schlüssel, -
3 das Buch, "-er	**22** der Stuhl, "-e
4 Die CD, -s	**23** das Tablet, -s
6 das Fenster, -	**24** die Tafel, -n
7 die Flasche, -n	**26** die Tasche, -n
8 das Handy, -s	**27** der Tisch, -e
9 das Heft, -e	**28** die Tür, -en
10 der Kuli, -s	**29** die Uhr, -en
11 die Lampe -n	**30** der USB-Stick, -s
12 der Laptop, -s	**31** das Wörterbuch, "-er
17 das Plakat, -e	

7

die Zettel, der Zettel – die Bleistifte, der Bleistift – die Markierstifte, der Markierstift –
die Plakate, das Plakat – die Scheren, die Schere – die CDs, die CD – die Wörterbücher, das Wörterbuch – die Uhren, die Uhr – die Stühle, der Stuhl

8a

die Tür und das Fenster
die Jacke, das Portemonnaie und der Schlüssel
der Laptop, der USB-Stick, das Tablet und das Handy
der Tisch, die Flasche, die Tasse, das Buch und das Notizbuch

Lösungen

3 Häuser und Wohnungen

1

der Stuhl – der Tisch – das Regal – der Sessel – das Sofa – das Bild – der Teppich – das Bett – der Vorhang – die Lampe – der Fernseher

2a

der, er – das, es – die, sie – die (Pl.), sie

2b

1 7 Da ist eine Lampe. Sie ist modern. – **2** 4 Da ist ein Stuhl. Er ist unbequem. – **3** 2 Da ist ein Tisch. Er ist klein. – **4** 1 Da ist ein Sofa. Es ist schön. – **5** 8 Da ist ein Fernseher. Er ist neu. – **6** 3 Da ist ein Regal. Es ist ordentlich. – **7** 5 Da sind Bilder. Sie sind klein. **8** 6 Da ist ein Teppich. Er ist neu.

3

1 Da ist ein Schrank. Da ist kein Schrank. – **2** Da ist ein Regal. Da ist kein Regal. – **3** Da ist eine Spüle. Da ist keine Spüle. – **4** Da sind Bilder. Da sind keine Bilder.

4

1 Im Büro ist ein Tisch und ein Laptop. Da ist eine Lampe und ein Heft.

2 Im Büro ist kein Tisch und kein Laptop. Da ist keine Lampe und kein Heft. Da sind keine Bücher und keine Kugelschreiber.

5a

ich habe – du hast – er/es/sie hat – wir haben – ihr habt – sie haben

5b

1 habe, habe – **2** hast – **3** hat, hat – **4** haben, haben – **5** Habt – **6** haben

6

Beispiel:

Ich brauche eine Spülmaschine. – Du kaufst ein Sofa. – Luciano kauft Blumen. –Luciano hat keinen Kühlschrank.

7a

1 Spülmaschine – **3** Sessel – **6** Stuhl – **7** Kühl-schrank – **9** Fernseher

7b

Sie haben kein Regal, keine Blumen, kein Sofa, keinen Herd.

Sie brauchen ein Regal, Blumen, ein Sofa, einen Herd.

8

Guten Tag, ich suche einen USB-Stick.

Guten Tag, USB-Sticks finden Sie dort.

Danke. Und haben Sie auch Kugelschreiber?

Ja, Kugelschreiber liegen hier. Wie viele brauchen Sie?

Ich brauche einen Kuli. Und noch einen Bleistift.

10

rot – rosa – braun – gelb – weiß – schwarz – blau – grün – grau – lila

11

1 Der, den – **2** Der, das – **3** Die, das – **4** Die, die – **5** Der, die – **6** Die, die – **7** Die, den – **8** Die, den

12

1 das, das – **2** das – **3** das, das – **4** die, die – **5** die, die – **6** den, den

13

🙂 toll – super – schön – sehr schön

😐 ganz schön – nicht schlecht – okay

🙁 langweilig – nicht schön – hässlich – furchtbar

14a

1 der Tisch – **2** der Sessel – **3** das Sofa – **4** das Bild – **5** die Regale – **6** der Schrank

14b

der Sessel – das Sofa – die Regale

14c

Beispiel:

1 Ich finde den Tisch schön.

2 Das Sofa ist langweilig.

3 Die Regale sind okay.

4 Der Schrank ist hässlich.

5 Das Bild ist nicht schön.

6 Der Sessel ist super.

15a

1 Nein, das ist kein Schrank. Das ist ein Kühlschrank.

2 Nein, das ist kein Fernseher. Das ist eine Mikrowelle.

3 Nein, das ist kein Bild. Das ist ein Foto.

4 Nein, das ist kein Sessel. Das ist ein Stuhl.

5 Nein, das sind keine Kugelschreiber. Das sind Stifte.

16

im dritten Stock

im ersten Stock

im Erdgeschoss

im Dachgeschoss

im zweiten Stock

17

1 E – **2** D – **3** A – **4** B – **5** C

18

1 Reinfeldt
2 Giesbertz
3 Palisch
4 im Dachgeschoss / im 3. Stock
5 im 1. Stock links

19a

Foto rechts

19b

1 Richtig – **2** Falsch – **3** Falsch

20

2 Wie ist Ihre Adresse? / Wie ist die Adresse?
3 Wohnen Sie im ersten Stock?
4 Haben Sie eine Terrasse?

21

4-Zimmer-Wohnung – Miete – Nebenkosten –
Einfamilienhaus

22

EFH = Einfamilienhaus – qm = Quadratmeter –
Zi = Zimmer – EBK = Einbauküche –
ZH = Zentralheizung – NK = Nebenkosten

23

Wie wohnen Sie?
Ich wohne in einer 3-Zimmer-Wohnung.
Ist die Wohnung ruhig?
Es geht, nicht sehr ruhig.
Haben Sie einen Balkon?
Ja, er ist schön groß.

24

1 Anzeige 3
2 Anzeige 4

25a

Beispiel:
Sie sind im Möbelhaus.
Sie kaufen ein Bett.
Sie brauchen ein Bett.
Sie suchen ein Bett.

25b

Jan Weber

25c

1 richtig – **2** richtig – **3** falsch – **4** falsch

Wichtige Wörter

1

der Fernseher – der Kühlschrank – das Regal –
der Sessel – das Sofa – die Spülmaschine –
der Teppich – der Vorhang – die Waschmaschine

3a

von oben nach unten:

1 das Regal – der Tisch – das Sofa – der Sessel –
das Wohnzimmer
2 das Bild – die Lampe – das Bett – das Schlafzimmer
3 der Vorhang
4 der Laptop – der Stuhl
5 die Spüle – der Herd – die Spülmaschine –
die Küche
6 das Fenster
7 der Balkon
8 die Waschmaschine

4

Beispiel:

Wohnzimmer:	ein Regal, ein Sofa,.ein Sessel, ein Tisch, zwei Kissen
Schlafzimmer:	ein Bett, eine Lampe, ein Bild, ein Nachttisch
Kinderzimmer:	ein Bett, eine Bettdecke, ein Teddybär, ein Vorhang
Arbeitszimmer:	ein Laptop, ein Stuhl, ein Schreibtisch, ein Computer
Küche:	ein Herd, eine Spülmaschine, ein Kühlschrank, eine Spüle, ein Küchenschrank, Stühle, ein Tisch
Badezimmer:	eine Toilette, eine Badewanne
Balkon:	Blumen, ein Tisch, ein Stuhl, ein Blumentopf
Keller:	Waschmaschinen, Wäsche, eine Heizungsanlage

4 Familienleben

1

1 Mutter – Bruder – Großmutter – Großvater

2 Schwester – Eltern – Großeltern

2

1 Großvater

2 Mutter – Eltern

3 Bruder – Geschwister

4 Onkel

5 Cousine

3a

Foto links: Dialog 2

Foto rechts: Dialog 1

3b

1 Alberto: Bruder – Maria: Nichte – Rita: Nichte – Daniel: Neffe

2 Martin: Onkel – Bianca: Tante – Caroline: Cousine – Marc: Cousin

4

mein Vater – mein Kind – meine Mutter – meine Großeltern

dein Vater – dein Kind – deine Mutter – deine Großeltern

sein Vater – sein Kind – seine Mutter – seine Großeltern

ihr Vater – ihr Kind – ihre Mutter – ihre Großeltern

Ihr Vater – Ihr Kind – Ihre Mutter – Ihre Großeltern

5

1 Mein – meine

2 Ihre – ihr

3 Ihre – meine

4 dein – Mein

5 Ihre – Meine

6

1 Ihr – Mein – mein

2 Ihre – Meine

7

1 Seine – sein – sein – Sein

2 Ihr – ihr – ihr – Ihre

8

2 Was ist Ihr Vater von Beruf? – Was ist dein Vater von Beruf?

3 Wie heißen Ihre Geschwister? – Wie heißen deine Geschwister?

4 Wie alt ist Ihr Sohn? – Wie alt ist dein Sohn?

10

2 sprechen – **3** sehen – **4** lesen – **5** fahren – **6** treffen – **7** spielen – **8** nehmen

Lösungswort: schlafen

11a

ich nehme – du nimmst – er/es/sie nimmt – wir nehmen – ihr nehmt – sie/Sie nehmen

ich esse – du isst – er/es/sie isst – wir essen – ihr esst – sie/Sie essen

ich lese – du liest – er/es/sie liest – wir lesen – ihr lest – sie/Sie lesen

ich fahre – du fährst – er/es/sie fährt – wie fahren – ihr fahrt – sie/Sie fahren

ich schlafe – du schläfst – er/es/sie schläft – wir schlafen – ihr schlaft – sie/Sie schlafen

11b

1 schläft – **2** Nehmen, nehme – **3** Triffst – **4** Liest, sehe – **5** Fährt, trifft – **6** isst, sieht – **7** spricht – **8** fährt

12

Beispiel:

Sie essen Schokolade. Der Opa von Tom liest ein Buch. Seine Oma schläft. Seine Mutter und sein Vater essen Pizza und sehen einen Film. Sein Onkel schreibt eine E-Mail.

13

1 Wo – in

2 wohin – nach

3 in – nach

14

2 besichtigen

3 besuchen

4 kaufen

5 besichtigen

15a

den Roland – die Böttcherstraße

15 b

1 falsch – **2** richtig – **3** falsch – **4** falsch

16

Zuerst kauft er Lebensmittel.

Dann besucht er einen Freund.

Danach isst er zu Mittag,

Dann trinkt er einen Kaffee.

Danach sieht er einen Film.

17

1 keine – **2** keinen – **3** keinen – **4** kein

18
Beispiel:
- Hallo Jan! Wann kommst du?
- Am Samstag. Was machen wir?
- Zuerst besuchen wir einen Freund, dann besichtigen wir die Stadt.
- Besuchen wir auch ein Straßenfest?
- Nein, am Samstag gibt es kein Straßenfest.

20
1 Früher war ich ein Kind. Früher hatte ich kein Kind
2 Jetzt bin ich Mutter. Jetzt habe ich ein Kind.

21a
ich hatte – du hattest – er/es/sie hatte – wir hatten – ihr hattet – sie/Sie hatten
ich war – du warst – er/es/sie war – wir waren – ihr wart – sie/Sie waren

21b
1 Hattest – hatte
2 Hatte – hatte
3 Warst – war
4 Wart – waren
5 War – war

22
1 waren – sind
2 hatten – haben
3 hatte – habe
4 war – ist

23a
die Töchter – die Brüder – die Häuser

23b
fährt– Brüder – Sehenswürdigkeiten – schön – Bücher – schläft – fährt

25a
1 Karina und Martin
2 Sie und Martin besichtigen den Zwinger und die Frauenkirche.
3 **Beispiel:**
Zuerst machen sie einen Spaziergang an der Elbe. Dann gehen sie in das Residenzschloss. Am Abend gehen sie in ein Konzert.

25b
Beispiel:
Liebe Karina,
vielen Dank für deine Karte. Ich war schon in Dresden und ich finde die Stadt sehr schön. Am Wochenende besuche ich einen Freund in Regensburg.

Am Samstag machen wir eine Schifffahrt auf der Donau und am Abend gehen wir ins Kino.

Wichtige Wörter

1
meine Schwester und mein Bruder
meine Mutter und mein Vater
mein Sohn und meine Tochter

3
eine Radtour machen – Sehenswürdigkeiten besichtigen – Lebensmittel kaufen – zu Mittag essen – einen Kaffee trinken – ein Straßenfest besuchen – meine Freunde treffen
Beispiel:
Wir machen morgen eine Radtour.
Wir besichtigen Sehenswürdigkeiten in Berlin.
Ich kaufe Lebensmittel im Supermarkt.
Wann essen wir zu Mittag?
Wir trinken einen Kaffee.
Dann besuchen wir ein Straßenfest.
Ich treffe meine Freunde.

5
Diego:
eine Zeitung lesen – im Restaurant essen – eine Radtour machen – eine Schiffahrt auf dem Rhein machen – nach Köln fahren – eine E-Mail schreiben – eine Pizza im Supermarkt kaufen – den Dom besichtigen
Isabel:
einen Kaffee trinken – den Bus nehmen – zu Mittag essen – im Restaurant essen – chillen – eine Schifffahrt auf dem Rhein machen – Deutsch lernen – ihre Großeltern besuchen

7
Diego isst im Restaurant.
Diego macht er eine Radtour.
Diego macht eine Schifffahrt auf dem Rhein.
Diego fährt nach Köln.
Diego schreibt eine E-Mail.
Diego kauft eine Pizza im Supermarkt.
Diego besichtigt den Dom.
Isabel trinkt einen Kaffee.
Isabel nimmt den Bus.
Isabel isst zu Mittag
Isabel isst im Restaurant.
Isabel chillt.
Isabel macht eine Schifffahrt auf dem Rhein.
Isabel lernt Deutsch.
Isabel besucht ihre Großeltern.

Lösungen

8

Diego 1 – 8 – 2 – 7 – 5 – 4 – 3 – 6
Isabel 1 – 2 – 4 – 8 – 6 – 7 – 5 – 3

Station 1

A

1 geht, Ihnen – gut – gut

2 geht, dir – gut, dir – geht

C

40 – 13 – 32 – 106

D

sprechen – spreche … Deutsch

E

Stock – Zimmer-Wohnung – Wohnung – groß – teuer – Möbel – Schrank – Bilder

F

A • Wie viel kostet das Brot?
   • Es kostet 1 Euro 19.

B • Wieviel kostet der Kühlschrank?
   • Er kostet 249 €.

G

1 Wie – schön – hässlich

2 • Wie findest du das Sofa?
   • Ich finde das Sofa hässlich.
   • Oh nein, das Sofa ist schön.

H

Beispiel:

• Wie groß ist Ihre Familie?
• Ich habe drei Geschwister.
• Haben Sie Kinder?
• Ja, ich habe zwei Kinder / Nein, ich habe keine Kinder.

5 Der Tag und die Woche

1

2 Sie malt. – **3** Sie surfen im Internet. – **4** Sie spielen Fußball. – **4** Sie hört Musik. – **6** Sie grillen. – **7** Er/Sie schwimmt. – **8** Sie joggen. – **9** Sie trinken Kaffee.

2a

1 Falsch – **2** Falsch – **3** Richtig – **4** Richtig

2b

😊 Peter Böhme: Fußball spielen – **Martin Berger:** Bücher lesen – **Barbara Veit:** tanzen, malen – **Brigitte Tillner:** Musik hören, schwimmen, tanzen

🙁 Peter Böhme: joggen – **Martin Berger:** im Internet surfen – **Barbara Veit:** Fußball spielen – **Brigitte Tillner:** joggen

3

links: zehn vor – Viertel vor – zwanzig vor – halb
rechts: zehn nach – Viertel nach – zwanzig nach

4

1 A – **2** B – **3** B

5

1 B – **2** D – **3** A – **4** C

6a

2 3:05 / 15:05
3 5.50 / 17:50
4 4:15 / 16:15

5 12:40 / 0:40
6 10:45 / 22:45
7 12:00 / 24:00
8 6:10 / 18:10

6b

2 Es ist elf Uhr fünf / fünf nach elf

3 Es ist dreizehn Uhr zwanzig / zwanzig nach eins.

4 Es ist neunzehn Uhr fünfundvierzig / Viertel vor acht.

5 Es ist dreiundzwanzig Uhr zwanzig / zwanzig nach elf.

7

1 um – **2** von … bis – **3** Bis

8

von links nach rechts:
4 – 1 – 5 – 2 – 3

2 fernsehen – **3** ausgehen – **4** aufstehen – **5** aufräumen

9

2 Sebastian räumt die Wohnung auf.
3 Silvia kauft Lebensmittel ein.
4 Sie nimmt ihre Tochter mit.
5 Dann gehen sie schwimmen. Eine Freundin kommt mit.
6 Um 20 Uhr sehen sie alle fern.

10

2 Claudia ruft an. – Claudia ruft Martin an. – Claudia ruft Martin oft an.

3 Claudia geht aus. – Claudia geht am Samstag aus. – Claudia geht am Samstag gern aus.

11

1 an – **mit** – **2** ein – **auf** – **3** an – **fern**

12

1 Um halb zwei geht Julia spazieren.
2 Von zwei bis drei macht sie Hausaufgaben.
3 Dann geht sie einkaufen.
4 Um halb sieben isst sie Pizza.
5 Um 20 Uhr ruft sie ihre Freundin an.
6 Am Wochenende machen sie einen Ausflug.

13

Montag – Dienstag – Mittwoch – Donnerstag – Freitag – Samstag – Sonntag

14

1 Am Donnerstag trifft Maria eine Freundin.
2 Am Dienstag geht sie ins Kino.
3 Am Montag, Mittwoch und Freitag arbeitet sie.
4 Am Dienstag hat sie einen Friseurtermin
5 Am Samstag und Sonntag ist sie in München.

15

am Morgen – am Vormittag – am Nachmittag – am Abend – in der Nacht

16

am – Am – um – um – am – um

17

Beispiel:
Am Montagvormittag arbeitet Manuel.
Am Nachmittag geht er einkaufen.
Am Abend trifft er Susanne.
Am Dienstagmorgen repariert er sein Fahrrad.
Am Mittag macht er einen Ausflug mit Susanne.
Am Nachmittag geht er / gehen sie schwimmen.
Am Abend kocht er mit Susanne.

20

 2, 3, 5

 1, 4

21

Beispiel:
● Gehen wir ins Kino?
● Ja, gern, wann?
● Geht es am Samstagabend um 20 Uhr?
● Nein. Meine Eltern kommen am Wochenende.
● Und wann hast du Zeit?

● Vielleicht am Sonntagabend. Wann beginnt der Film?
● Um 19 Uhr.
● Das geht. Meine Eltern bleiben nur bis Sonntagmittag.
● Super. Dann bis Sonntagabend

22a

Foto 2

22b

1 F – **2** R – **3** R – **4** R – **5** F

23

1 Wie geht es Ihnen?
2 Der Lehrer wohnt in der Nähe.
3 In der Küche ist ein Stuhl und ein Kühlschrank.
4 Mein Sohn hat ein Fahrrad.
5 Nehmt ihr die S-Bahn?

24

Freitag, 11.4.
19.00 Uhr Mozart, Don Giovanni, Deutsche Oper
20.00 Uhr Schuhmann, Beethoven, Philharmonie Berlin
Samstag, 12.4.
15 Uhr Film Buster Keaton, Filmmuseum
15.30 Uhr Fußball
19.00 Uhr Berlin-Musical, Theater am Potsdamer Platz
18.–23 Uhr Buffet China Restaurant
Sonntag 13.4.
15 Uhr Film Buster Keaton, Filmmuseum
20 Uhr, Shakespeare, Berliner Ensemble

25a

1 – 2 – 3 – 7

25b

1 R – **2** F – **3** R – **4** R – **5** F

Wichtige Wörter

2

ein Bild malen – im Internet surfen – Musik hören/ spielen – einkaufen gehen – Schach spielen – ein Fahrrad reparieren – Fußball spielen – spazieren gehen – ins Kino gehen

4

links:
1 Karten spielen – **2** ein Buch lesen – **3** tanzen –
4 chillen – **5** Karaoke singen – **6** fernsehen –
7 im Internet surfen – **8** ein Würfelspiel spielen –
9 basteln – **10** kochen – **11** ausgehen –
12 Musik hören

Lösungen

rechts:
1 Fußball spielen – **2** einen Film sehen –
3 schwimmen gehen – **4** zelten – **5** Volleyball
spielen – **6** kegeln – **7** joggen – **8** Musik machen –
9 Freunde treffen – **10** fotografieren –
11 wandern – **12** schlafen

6a
schwimmen gehen – Fußball spielen – tanzen –
fotografieren – Karten spielen – Musik machen –
Karaoke singen

6b
Herr Vorfelder findet Fußball spielen langweilig,
Schwimmen mag er nicht.
Frau Vorfelder findet Fotografieren interessant.
Sie spielt nicht gern Karten. Sie tanzt gern und
mag Karaoke singen.

6 Guten Appetit!

1
Getränke: der Kaffee, der Tee, der Wein
Backwaren: das Brot, der Kuchen
Obst und Gemüse: die Tomate, der Salat, die Banane,
der Apfel
Milchprodukte: die Butter, der Käse, die Milch,
der Joghurt

3a
täglich –oft – manchmal – selten – nie

3b
Beispiel:
Ich trinke täglich Tee.
Ich esse selten Salat.
Ich räume täglich auf.
Ich mache manchmal einen Ausflug.
Ich koche selten.
Ich spiele nie Fußball.

4
1 E – **2** F – **3** D – **4** B – **5** A – **6** C

5
1 Trink – **2** vergesst – **3** Fahr – **4** Kommen Sie –
5 Bleib – **6** Warten

6
du:
Hol bitte Brot! – Vergiss das Buch nicht! – Nimm doch
einen Salat!
ihr:
Schlaft gut! – Fragt den Lehrer! – Lest den Text!
Sie:
Kaufen Sie bitte Reis! – Sprechen Sie bitte langsam! –
Kommen Sie am Vormittag!

7
Beispiel:

anfangen:	Fang an! – Fangt an! – Fangen Sie an! – Fang bitte an!
kommen:	Komm! – Kommt! – Kommen Sie! – Kommt nach Hause!
sprechen:	Sprich! – Sprecht! – Sprechen Sie! – Sprich laut!
schreiben:	Schreib! – Schreibt! – Schreiben Sie! – Schreiben Sie einen Text!
mitbringen:	Bring mit! – Bringt mit! – Bringen Sie mit! – Bringen Sie ein Brot mit!

8
2 Lesen Sie doch ein Buch!
3 Fahren Sie doch nach Berlin!
4 Besuchen Sie doch das Straßenfest!

9
eine Flasche: Wein, Wasser
ein Stück: Butter, Käse
eine Packung: Reis, Spaghetti
einen Becher: Joghurt, Kaffee
eine Dose: Mais, Fisch
ein Glas: Marmelade, Joghurt

10
Herr Tolic kauft eine Flasche Apfelsaft, zwei Brötchen,
eine Tüte Chips, eine Dose Erbsen,
eine Tafel Schokolade, eine Packung Spaghetti,
eine Dose Fisch, fünf Scheiben Salami, drei Birnen.

11
200 Gramm Wurst – ein Stück Käse – eine Packung
Spaghetti – drei Becher/Gläser Joghurt – eine
Flasche/ein Kasten Wasser

12

Beispiel:

Ich kaufe Obst und Gemüse im Supermarkt/auf dem Markt.

Ich kaufe Zeitungen an der Tankstelle/im Supermarkt.

Ich kaufe Brot in der Bäckerei/im Supermarkt.

Ich kaufe Schokolade im Supermarkt/an der Tankstelle.

Ich kaufe Milch im Supermarkt/auf dem Markt.

13

Verkäufer/Verkäuferin:

Das Kilo kostet 90 Cent. – Das macht zusammen 6,90 Euro. – Guten Tag, was möchten Sie? – Haben Sie es passend? – Haben Sie noch einen Wunsch? – Möchten Sie noch etwas?

Kunde/Kundin:

Danke, das ist alles. – Dann nehme ich zwei Kilo. Birnen. – Ein Kilo Tomaten, bitte. – Ich hätte gerne 3 Kilo Kartoffeln. – Nein, leider nicht. Ich habe nur zwanzig Euro. – Was kosten die Tomaten?

14

1 Was möchten Sie?

2 Was kosten die Birnen?

3 Möchten Sie noch etwas?

15

1 • Was möchten Sie?

   • Ich möchte einen Tee und meine Tochter möchte einen Apfelsaft.

2 • Möchtest du Kaffee?

   • Nein danke. Ich möchte ein Glas Mich.

3 • Möchtet ihr Wein oder Bier?

   • Danke, wir möchten Bier.

16

1 0,69 € – **2** 3,99 € – **3** 0,59 € – **4** 1,40 €

17

Dialog 1:

• Guten Tag, was möchten Sie?

• Fünf Brötchen, bitte.

• Haben Sie noch einen Wunsch?

• Ja, noch ein Bauernbrot, bitte.

• Fünf Brötchen, ein Bauerbrot. Ist das alles?

• Ja, das ist alles.

Dialog 2:

• Ja, bitte?

• Was kosten die Birnen?

• Ein Kilo kostet 2,50 €.

• Dann nehme ich zwei Kilo Birnen und ein Pfund Tomaten.

18

• Guten Tag, was möchten Sie?

• 300 g Hackfleisch, bitte.

• 300 Gramm Hackfleisch, das macht 2,40 €. Haben Sie noch einen Wunsch?

• Ja, ich nehme auch 5 Scheiben Schinken.

• Ist das alles?

• Ja, vielen Dank.

• Das macht dann zusammen 4,10 €. Haben Sie es passend?

• Nein, leider nicht. Ich habe nur 10 Euro

• Dann bekommen Sie 5,90 Euro zurück.

19

2 Patricia mag Cola.

3 Ewa und Anna mögen Chips.

4 Sebastian mag Käsekuchen

20a

ich mag – du magst – er/es/sie mag – wir mögen – ihr mögt – sie/Sie mögen

20b

1 mag – **2** Mögt, mögen – **3** mögen, mag

21

1 A – **2** B – **3** A – **4** A – **5** B – **6** B

22

1 Nein, ich mag keinen Kaffee.

2 Nein, ich sehe nicht gern fern.

3 Nein, ich esse nicht gern Chips.

4 Nein, ich mag kein Bier.

23a

oben: R M F M

unten: R R F R

23b

1 Herr Fechner isst zum Frühstück oft Brot und Marmelade. Er trinkt immer Kaffee.

2 Frau Mertens isst zu Mittagessen eine Suppe und einen Salat.

3 Robert isst zum Abendessen immer zwei Brote mit Wurst und Tomaten, manchmal nur Tomaten. Er trinkt Tee oder Apfelsaft.

25b

• Gehen Sie einkaufen? Dann bringen Sie doch bitte ein Eis und eine Zeitung mit.

• Nein, leider habe ich keine Zeit. Heute ist Dienstag, ich gehe Fußball spielen.

26a

6 – 1 – 3 – 2 – 5 – 7 – 4

26b

A 1 – **B** 3 – **C** 6 – **D** 2 – **E** 5 – **F** 4

Lösungen

26c

A Geben Sie das Mehl, die Eier, die Milch und das Salz in eine Schüssel und mischen Sie alles.

B Erhitzen Sie die Butter in der Bratpfanne.

C Geben Sie etwas Teig in die Pfanne und braten Sie ihn 2 bis 3 Minuten.

D Wenden Sie den Pfannkuchen und braten Sie ihn noch einmal 1 bis 2 Minuten

E Mischen Sie Zimt und Zucker.

F Servieren Sie den Pfannkuchen mit Zimt und Zucker.

Wichtige Wörter

1

1 Vormittag – **2** Tomate – **3** Wurst – **4** Fisch – **5** Fleisch

4

1 der Apfel, die Äpfel – **2** die Banane, die Bananen – **3** die Birne, die Birnen – **6** das Brot, die Brote – **7** das Brötchen, die Brötchen – **8** die Butter – **9** das Eis – **11** die Gurke, die Gurken – **12** der Honig – **13** der Käse – **16** der Mais – **18** die Marmelade – **20** die Milch – **21** das Müsli – **25** der Pudding – **27** die Nudeln – **28** der Tee – **29** die Tomate, die Tomaten – **30** das Wasser – **31** der Wein, die Weine – **32** der Schinken

6a

Ewa findet Pudding mit Salz und Pfeffer furchtbar. Erik mag Müsli mit Äpfel und Birnen. Maria trinkt keinen Kaffee mit Honig.

7 Arbeit und Beruf

1

1 B – **2** E – **3** D – **4** A – **5** C

2

2 Die Kellnerin arbeitet im Restaurant.

3 Der Kfz-Mechaniker arbeitet in der Werkstatt.

4 Der Ingenieur arbeitet auf der Baustelle.

5 Die Bankkauffrau arbeitet in der Bank.

3

2 Die Sekretärin nimmt Anmeldungen an.

3 Der Kfz-Mechaniker repariert Autos.

4 Die Briefträgerin bringt die Post.

5 Die Kellnerin bringt Kaffee und Kuchen.,

4

Sie berät die Kunden und kontrolliert die Kasse. Sie muss auch Geld wechseln und bei Problemen mit Überweisungen helfen. Oft muss sie auch länger bleiben/arbeiten.

5

können: ich kann – du kannst – er/es/sie kann – wir können – ihr könnt – sie/Sie können

müssen: ich muss – du musst – er/es/sie muss – wir müssen – ihr müsst – sie/Sie müssen

wollen: ich will – du willst – er/es/sie will – wir wollen – ihr wollt – sie/Sie wollen

6

1 Können

2 Kannst – können

3 kann – kann

4 Könnt

5 kann

7

1 muss – **2** müssen – **3** muss – **4** müssen

8

1 Ich will heute fernsehen.

2 Wir wollen Fußball spielen.

3 Monika will zu Hause Musik hören.

4 Wollt ihr ins Kino gehen?

5 Willst du einen Tanzkurs machen?

6 Wollen Sie etwas trinken?

9

1 Wollen – muss

2 musst/willst – muss – wollen

3 musst – will

4 Müssen – muss/will

10

1 Sie muss früh aufstehen, aber sie kann schon am Mittag nach Hause gehen.

2 Er muss auch in der Nacht arbeiten, aber er kann am Vormittag lange schlafen.

3 Er muss viel erklären, aber er kann auch viel von den Schülern lernen.

4 Sie muss viel im Büro sitzen, aber sie kann bei der Arbeit Kaffee trinken.

5 Er muss heute bis 22 Uhr arbeiten, aber er kann morgen schon um 15 Uhr nach Hause gehen.

11

1 Kann – musst
2 Willst – kann – Willst
3 Können – will – Können – muss

12

1 D – **2** B – **3** A – **4** C

13a

1 Kellnerin – **2** Lehrer – **3** Briefträgerin

13b

1 F – **2** R – **3** R – **4** F – **5** R – **6** R

14

2 Wir können nicht am Vormittag arbeiten/
Wir können am Vormittag nicht arbeiten.
3 Ich will nicht alleine arbeiten.
4 Er muss nicht viel reisen.
5 Sie muss nicht früh aufstehen.

16

1 überweisen – Bankverbindung
2 Mitgliedsbeitrag
3 Konto – Kontonummer
4 Geldautomat
5 Gebühren

17a

1 F – **2** R – **3** R – **4** R

17 b

IBAN: DE69 10070000 0319273403
Betrag: 150 Euro

18

1 Sie geht zum Friseur.
2 Sie ist beim Friseur.
3 Sie geht zur Arbeit.
4 Sie ist bei der Arbeit,.
5 Sie kommt zurück nach Hause.
6 Sie ist zu Hause.

19

1 bei – **2** mit – **3** zum – **4** vom – **5** Vor –
6 nach – **7** zu – **8** aus

20

2 der / einer
3 dem / einem
4 den / –

21

1 der, einem – **2** der – **3** der, einem – **4** beim, dem

22

2 zu den Großeltern – **3** bei Freunden –
4 aus dem Reisebüro – **5** zu einer Freundin –
6 von einem Freund

23

1 Wo – **2** Wohin – **3** Wo – wohin

24

1 Sie wollen die Wohnung aufräumen und dann
zum Markt gehen.
2 Er kann Englisch sprechen und jetzt will er
Spanisch lernen.
3 Er ist Ingenieur von Beruf, aber er arbeitet
jetzt als Briefträger.

25a

A 1 – **B** 3 – **C** 4 – **D** 2 – **E** 5

25b

Beispiel:
Martin Rösch ist Taxifahrer. Er wohnt und arbeitet in
Duisburg. Er muss in der Nacht und am Wochenende
arbeiten. In der Nacht fährt er gern.

26a

1 Arzt/Ärztin – **2** Taxifahrer – **3** Programmiererin/
Programmierer – **4** Sekretärin

26b

Anzeige 1
Beruf: Arzt/Ärztin
Firma: Kinderarztpraxis Mathiopoulos
Adresse: Bismarckstraße 76, 37085 Göttingen
Telefon/E-Mail: 0551 67788
Arbeitszeit: Montag, Mittwoch, Donnerstag
8.00 – 12.30 Uhr
Anzeige 2
Beruf: Taxifahrer (m/w)
Firma: Reisedienst Schmidt
Adresse: Gartenstraße 12, 79312 Emmendingen
Telefon/E-Mail: 07641 / 155 355
Arbeitszeit: am Wochenende/nachts
Anzeige 3
Beruf: Programmierer/Programmiererin
Firma: ABC-Software
Adresse: s.krebs@abc-software.de
Telefon/E-Mail: s.krebs@abc-software.de
Arbeitszeit: Vollzeit
Anzeige 4
Beruf: Sekretärin (m/w)
Firma: Bankhaus Jonas
Adresse: Hauptstraße 43, 26721 Emden
Telefon/E-Mail: 04921 51 32 0
Arbeitszeit: Montag – Freitag, vormittags oder
nachmittags

Lösungen

Wichtige Wörter

1

2 der Taxifahrer, die Taxifahrerin, die Taxifahrer, die Taxifahrerinnen

3 die Reinigungskraft, die Reinigungskräfte

3

1 Kunden beraten/bedienen

2 Geld verdienen/wechseln/überweisen

3 ein Formular unterschreiben

5

die Verkäuferin

der Tischler

die Sekretärin

die Altenpflegerin

die Friseurin

der Arzt

die Lehrerin

7a

1 D – **2** F – **3** I – **4** H – **5** G – **6** B – **7** A – **8** C – **9** E

7b

Die Verkäuferin arbeitet im Kaufhaus.

Der Gärtner arbeitet in der Gärtnerei.

Der Tischler arbeitet in der Werkstatt.

Die Sekretärin arbeitet im Büro.

Die Altenpflegerin arbeitet im Altersheim.

Die Hotelfachfrau arbeitet im Hotel.

Die Friseur arbeitet im Friseursalon.

Der Arzt arbeitet im Krankenhaus.

Die Lehrerin arbeitet in der Schule.

8

2 Eine Lehrerin unterrichtet Schüler.

3 Ein Verkäufer bedient Kunden.

4 Ein Friseur schneidet Haare.

5 Eine Hotelfachfrau reserviert Zimmer.

6 Ein Altenpfleger betreut alte Menschen.

7 Ein Gärtner pflegt Gärten.

8 Eine Sekretärin plant Termine.

9 Ein Tischler macht Möbel.

Station 2

A

Hobby – spiele – jogge – höre – findest – spiele – gerne

B

Es ist halb sieben/6 Uhr dreißig/18 Uhr dreißig.

Es ist fünf vor zwölf/11 Uhr fünfundfünzig/23 Uhr fünfundfünfzig.

Es ist Viertel vor sechs/fünf Uhr fünfundvierzig/ siebzehn Uhr fünfundvierzig.

C

Am – am – Am – Uhr – Uhr – um – bis

D

machst – Vormittag – fängt ... an – treffe – gehen

F

hätte gern – kosten – nehme

I

Vom – beim – zur

8 Gute Besserung!

1

von links nach rechts:
Zahnärztin – Kinderärztin – Hausärztin – Augenärztin

2

am – von … bis – am – von … bis – am – nach –
Am – geschlossen

3

Dann geh doch zum Zahnarzt.
Dann geh doch zum Augenarzt.
Dann trink doch Milch mit Honig.
Dann iss doch nicht so viel.
Dann mach doch Sport.

4

- Praxis Dr. Wenke. Guten Tag.
- Guten Tag, mein Name ist Ionesco.
  Ich brauche einen Termin.
- Einen Moment, bitte. Morgen Vormittag um
  elf Uhr. Geht das?
- Ja, morgen Vormittag habe ich Zeit.
- Sagen Sie doch bitte noch einmal Ihren Namen.
- Ionesco.
- Wie schreibt man das?
- I O N E S C O.
- Gut, Frau Ionesco, bis morgen um elf Uhr.
- Vielen Dank, auf Wiederhören.

5

1 B – **2** B

6

Beispiel:
1 zwei Augen, einen Arm, fünf Finger, einen Kopf,
  eine Nase, Haare
2 zwei Beine, einen Kopf, Haare, zwei Augen, einen
  Mund, eine Nase, zwei Arme, zwei Hände, zwei
  Füße
3 zwei Arme, zwei Hände, einen Rücken, einen
  Kopf
4 vier Arme, zwei Köpfe, zwei Nasen, vier Augen,
  vier Hände, vier Beine, vier Füße

7

Arzt/Ärztin: Was fehlt Ihnen denn? – Vielleicht
haben Sie eine Grippe. – Machen Sie bitte den Mund
auf. – Sie müssen noch einmal zur Kontrolle kommen.
Patient/in: Mir geht es nicht gut. – Ich habe Fieber. –
Mein Rücken tut weh. – Ich habe eine Erkältung.

8

2 Sein Bauch tut weh.
3 Ihr Kopf tut weh.
4 Ihre Ohren tun weh.
5 Ihre/Seine Beine tun weh.

9

2 Ich soll viel Obst essen.
3 Ich soll eine Woche zu Hause bleiben.
4 Ich soll Halstabletten nehmen.

10

1 Er sagt, du sollst im Bett bleiben.
2 Sie sagt, du sollst Gymnastik machen.
3 Sie sagt, du sollst wenig Fleisch essen.
4 Er sagt, du sollst keine Tabletten nehmen.

11

1 Arbeitgeber – **2** Rezept – **3** Überweisung –
4 Bonus – **5** Termin – **6** Medikamente –
7 Gesundheitskarte – **9** Internet – **10** Arzt
Lösungswort: Gesundheit

12a

Münster, 5.12.2015
Sehr geehrter Herr Möller,

unser Sohn Max kann heute leider nicht zum Unter-
richt kommen.
Er hat eine Erkältung.
Bitte entschuldigen Sie das Fehlen von Max.
Mit freundlichen Grüßen
Robert Heinlein

12b

1 Berlin, 3.3.2015
2 Sehr geehrte Frau Jablonsky,
3 Sarafina ist heute leider krank und kann nicht zur
  Schule kommen. Sie hat Fieber.
4 Bitte entschuldigen Sie das Fehlen von Sarafina.
5 Mit freundlichen Grüßen
6 M. Fischer

12c

Beispiel:
Berlin, 15.2.2015
Sehr geehrter Herr Walz,

unser Sohn Sebastian ist leider krank und hat Kopfschmerzen. Er kann heute leider nicht zur Schule
kommen. Bitte entschuldigen Sie das Fehlen von
Sebastian.
Mit freundlichen Grüßen

Lösungen

13

1 Fieber messen – **2** Tee kochen – **3** Medikamente geben – **4** ein Buch vorlesen – **5** den Arzt anrufen – **6** eine Entschuldigung schreiben

14

1 – 2 – 4 – 6

16

links: mich, dich, ihn, es, sie
rechts: uns, euch, sie, Sie

17

1 Sie – **2** euch – **3** Sie

18

2 sie – **3** ihn – **4** sie – **5** ihn

19

1 uns – **2** ihn – **3** dich – **4** euch – **5** sie – **6** mich, Sie – **7** es

20

Beispiel:

Er hat Halsschmerzen. Er geht zum Arzt. Der Arzt untersucht ihn. Herr Blum holt Medikamente in der Apotheke. Zu Hause muss er im Bett bleiben und Tee trinken. Sein Freund besucht ihn.

21

1 Wo – **2** Wie – **3** Wie viele – **4** Wie – **5** Wann

22

Unfall – verletzt – verletzt – erklären – dringend – Notarzt – warten

23

Berlin, 20.07.2015

Sehr geehrter Herr Schmidt,

mein Sohn Erkan ist leider krank. Er hat Halsschmerzen und kann nicht zur Schule kommen. Bitte entschuldigen Sie das Fehlen von Erkan.

Mit freundlichen Grüßen
Sevilay Ogur

24c

1 F – **2** F – **3** R – **4** R

25

1 B – **2** A – **3** A – **4** B

Wichtige Wörter

2

1 die Gesundheitskarte
2 das Rezept, die Krankschreibung
3 das Bonusheft, die Gesundheitskarte
4 die Krankschreibung
5 die Medikamente

4

Seite 102 – links – von oben nach unten:
der Kopf, die Köpfe – der Hals, die Hälse – der Rücken, die Rücken – der Bauch, die Bäuche – der Arm, die Arme

rechts – von oben nach unten:
der Finger, die Finger – die Hand, die Hände – das Bein, die Beine – der Fuß, die Füße

Seite 103 von oben nach unten:
das Haar, die Haare – der Mund, die Münder – die Nase, die Nasen – das Auge, die Augen – das Ohr, die Ohren

7

hören: das Ohr
sehen: das Auge
essen: der Mund
gehen: das Bein, der Fuß
Sport machen: das Bein, der Fuß, die Hand

8

1 der Rücken – **2** der Zeh – **3** der Kopf – **4** das Herz – **5** die Stirn

9 Wege durch die Stadt

1a

1 das Auto – **2** die U-Bahn – **3** der Bus – **4** die Straßenbahn – **5** das Fahrrad – **6** der Zug

1b

Pedro: Auto, U-Bahn, Bus
Susanne: Zug, Straßenbahn
Magda und Pavel: Fahrrad

2a

2 gehen – **3** fährt – **4** fährt – **5** fliegt – **6** fahren – **7** fahre

3a

1 praktisch, billig, gesund
2 bequem, teuer
3 schnell

3b

1F – **2**F – **3**F – **4**F – **5**R – **6**R

4

1 C – **2** B – **3**C

5

1 Uhr – **2** Stunde – **3** Uhr – **4** Stunde

7

2 Entschuldigung, ich suche den Zoo.
    Entschuldigung, wie komme ich zum Zoo?

3 Entschuldigung, ich suche die U-Bahnstation.
    Entschuldigung, wie komme ich zur U-Bahn-
    station?

4 Entschuldigung, ich suche das Schwimmbad.
    Entschuldigung, wie komme ich zum Schwimm-
    bad?

8

● Entschuldigung, wie komme ich zum Südbahnhof?
● Das ist ganz einfach. Nehmen Sie die U-Bahn.
  Da vorne ist die U-Bahnstation.
● Und wie muss ich fahren?
● Nehmen Sie die Linie 2 Richtung Zoo. Fahren Sie
  fünf Stationen, dann kommen Sie zum Südbahn-
  hof.
● Also, die U2 Richtung Zoo und dann fünf
  Stationen.
● Ja, genau.
● Vielen Dank.

9

● Entschuldigung, wie komme ich zum Theaterplatz?
● Nehmen Sie die U2 und fahren Sie bis zum Haupt-
  bahnhof. Dann müssen Sie umsteigen. Nehmen
  Sie die U1 Richtung Flughafen. Fahren Sie zwei
  Stationen, dann sind Sie am Theaterplatz.

10

1 zur – mit dem – mit der
2 mit dem – mit dem
3 mit dem – zur – mit der
4 zum – zu

11

2 Im Bahnhof kann man Fahrkarten kaufen.
3 In der Apotheke kann man Medikamente kaufen.
4 In der Bank kann man Geld wechseln.
5 In der Bäckerei kann man Brot und Brötchen
    kaufen.
6 Im Supermarkt kann man Lebensmittel einkaufen.
7 Im Café kann man Kaffee trinken.

12

2 zwischen den Gläsern – **3** hinter dem Rücken –
4 neben dem Fenster – **5** unter dem Tisch –
6 auf dem Tisch – **7** über dem Tisch – **8** in der Suppe

13

Beispiel:

1 Links ist die Blume auf dem Sessel. Rechts ist sie
    auf dem Regal/im Regal.
2 Links ist die Lampe auf dem Tisch. Rechts ist sie
    auf dem Fernseher.
3 Links ist das Bild zwischen den Fenstern. Rechts
    gibt es kein Bild.
4 Links sind die Bücher auf dem Sofa. Rechts sind
    sie unter dem Sofa.
5 Links ist das Regal links neben der Tür. Rechts ist
    das Regal rechts neben der Tür.

14

1 An der – **2** auf dem – **3** Vor dem – **4** im –
5 Auf der, an der

15

● Entschuldigung, wie komme ich zum Bahnhof?
● Zum Bahnhof? Hm… Gehen Sie zu Fuß?
● Nein, ich fahre mit dem Auto.
● Fahren Sie zuerst diese Straße geradeaus und an
  der zweiten Kreuzung links. Dann kommen Sie
  zum Bahnhof.
● Also hier geradeaus und an der zweiten Kreuzung
  links.
● Genau, der Bahnhof ist dann rechts.
● Vielen Dank.

16

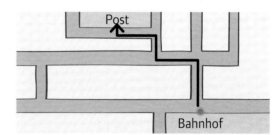

17

1 Das Auto muss warten. Das Fahrrad darf fahren.
2 Das Auto muss warten. Das Motorrad darf fahren.

18

2 Der Bus darf zuerst fahren.
3 Dann darf das Fahrrad fahren.
4 Das Auto muss nach rechts abbiegen.

19

1 dürfen – müsst – dürft
2 darf – muss
3 darf – muss

Lösungen

20

Beispiel: Bei Schild 1 darf man nicht telefonieren.
Bei Schild 2 darf man geradeaus fahren. Hier darf man nach rechts abbiegen.
Bei Schild 3 darf man mit dem Rad fahren. Hier darf man nicht mit dem Auto fahren.
Hier darf man zu Fuß gehen.
Bei Schild 4 darf man nicht weiterfahren.
Bei Schild 5 muss man geradeaus fahren.
Bei Schild 6 darf man nicht anhalten. Hier darf man nicht parken.

21

Mein Weg zur Arbeit ist weit. Ich gehe erst zwanzig Minuten zu Fuß. Dann nehme ich die S-Bahn. Ich brauche 50 Minuten mit der S-Bahn. Am Bahnhof steige ich aus. Dort nehme ich die U-Bahn und ich muss auch noch einmal 20 Minuten mit der U-Bahn fahren. Manchmal fahre ich zwei Stunden.

22a

1 B – **2** C – **4** F – **5** A – **6** E

22b

1 8:17 Uhr – **2** 8:19 Uhr – **3** 8:27 Uhr

Wichtige Wörter

1

1 C – **2** E – **3** D – **4** A – **5** B

2

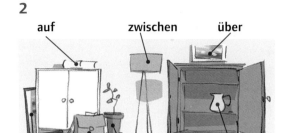

auf — zwischen — über
hinter — vor — neben — unter — in

4

1 das Auto, die Autos – **2** die Straßenbahn, die Straßenbahnen – **3** der Bus, die Busse – **5** das Flugzeug, die Flugzeuge – **6** die U-Bahn, die U-Bahnen – **7** die S-Bahn, die S-Bahnen – **8** der Zug, die Züge – **9** der Lkw, die Lkws – **10** das Fahrrad, die Fahrräder – **12** das Schiff, die Schiffe – **14** das Motorrad, die Motorräder

der Bahnhof, die Bahnhöfe - der Flughafen, die Flughäfen

6

1 das Fahrrad
2 der Zug
3 der Motorroller

8a

täglich:	Fahrrad
oft:	Auto
manchmal:	Zug
selten:	Motorroller
nie:	Flugzeug

8b

Arbeit:	das Fahrrad
Einkäufe:	das Fahrrad
Ausflüge:	das Fahrrad
Eltern besuchen:	das Auto

10 Mein Leben

1a

1 ledig – **2** geschieden – **3** verheiratet – **4** Führerschein

1b

1 Sind Sie verheiratet? – Bist du verheiratet?
2 Ist Ihr Bruder verheiratet? – Ist dein Bruder verheiratet?
3 Haben Sie einen Führerschein? – Hast du einen Führerschein?
4 Wohnen Sie in einer Großstadt? – Wohnst du in einer Großstadt?

2

war – hatte – hatte – war

4a

1 E – **2** F – **3** A – **4** B – **5** D – **6** C

4b

1 Herr Oliveira räumt die Wohnung auf.
2 Herr Oliveira kauft im Supermarkt ein.
3 Herr und Frau Oliveira machen Mittagessen.
4 Herr Oliveira spielt mit den Kindern.

5 Frau Oliveira malt ein Bild.

6 Frau Oliveira hört Musik.

4c

2 Er hat im Supermarkt eingekauft.

3 Sie haben Mittagessen gemacht.

4 Er hat mit den Kindern gespielt.

5 Sie hat ein Bild gemalt.

6 Sie hat Musik gehört.

5

machen, gemacht – suchen, gesucht – reden, geredet – arbeiten, gearbeitet – abholen, abgeholt – kochen, gekocht – lernen, gelernt – träumen, geträumt – einkaufen, eingekauft

6a

Fragen:

2 Hast du heute schon eingekauft?

3 Wann hast du den Kuchen gemacht?

4 Wie lange hat sie gestern gearbeitet?

Antworten:

B Ich habe Musik gehört.

C Sie hat gestern bis 23 Uhr gearbeitet.

D Ich habe ihn heute vor der Arbeit gemacht.

6b

1 B – **2** A – **3** D – **4** C

7

1 Sylvia hat gestern lange Musik gehört.

2 Tom hat die Kinder am Nachmittag von der Schule abgeholt.

3 Wir haben vor zwei Tagen sehr lange mit dem Chef geredet.

8

Beispiel:

Am Vormittag hat Enrico (am Computer) gearbeitet. Am Nachmittag (um 15 Uhr) hat er (mit Anja) gelernt. Dann hat er (mit Freunden) Fußball gespielt. Am Abend hat er (mit Freunden) Karten gespielt.

9

1 Ich habe – **2** Ich bin – **3** Ich habe – **4** Ich bin – **5** Ich bin – **6** Ich habe – **7** Ich habe – Ich bin – **8** Ich bin

10

fahren, ist gefahren – gehen, ist gegangen – aufstehen, ist aufgestanden – aufräumen, hat aufgeräumt – abholen, hat abgeholt – trinken, hat getrunken – sehen, hat gesehen – schlafen, hat geschlafen – lesen, hat gelesen – kommen, ist gekommen – mitkommen, ist mitgekommen – lernen, hat gelernt

11

1 Leila ist gestern nach Paris gefahren.

2 Robert hat nicht gut geschlafen.

3 Heute Morgen ist er früh aufgestanden. / Er ist heute Morgen früh aufgestanden.

4 Seid ihr heute mit dem Fahrrad zur Arbeit gefahren?

5 Wir haben das Auto genommen.

12

… Am Freitag habe ich lange gearbeitet – bis 20 Uhr! Aber dann ist Alexandra gekommen und wir sind in die Disko gegangen. Am Samstag bin ich erst um halb eins aufgestanden und habe dann schnell im Supermarkt eingekauft. Danach habe ich eine Pizza gegessen und die Wohnung aufgeräumt. Am Abend war ich auf der Geburtstagsparty von Sebastian. Und da habe ich ihn gesehen: …

13

Beispiel:

1 Ich bin gestern um 23 Uhr eingeschlafen.

2 Ich habe heute Nacht schlecht geschlafen.

3 Ich bin heute spät aufgestanden.

4 Ich habe zwei Brötchen gegessen.

5 Ich habe heute ein Buch gelesen.

6 Ich bin gestern ins Kino gegangen.

15a

2 Woher kommt sie?

3 Was ist sie von Beruf?

4 Ist sie verheiratet?

5 Hat sie Kinder? – Wie viele Kinder hat sie?

6 Was sind ihre Hobbys?

7 Seit wann ist sie in Deutschland?

15b

Ihr Vorname ist Hung. Sie kommt aus Vietnam. Sie ist Bankkauffrau von Beruf. Sie ist verheiratet und hat zwei Kinder. Ihre Hobbys sind kochen und schwimmen. Sie ist seit 2014 in Deutschland.

16

2 1899 – **3** 1931 – **4** zweitausendfünfzehn – **5** zweitausend(und)eins – **6** neunzehnhundertsiebenundachtzig

17

Herr Kowalski ist 1975 in Polen geboren. Er ist von 1981 bis 1991 in die Schule gegangen. Er hat 1998 geheiratet und ist 1999 nach Deutschland gekommen. In den Jahren 2000 und 2001 hat er Deutschkurse an der Volkshochschule gemacht. Bis 2013 war er Hausmeister in einer Schule in Köln. Seit 2014 lernt er den Beruf Altenpfleger.

Lösungen

18a

Am Wochenende sind wir zusammen zu Freunden nach Berlin gefahren. Das war super! Am Samstagmorgen haben wir mit dem Bus eine Stadtrundfahrt gemacht. Danach haben wir im Restaurant gegessen und dann haben wir einen Kaffee getrunken. Am Nachmittag haben wir eingekauft und am Abend haben wir zusammen Essen gemacht und dann sind wir ins Kino gegangen. Der Film war leider langweilig, aber Berlin ist toll.

19a

Beispiel:
1 Sie ist neun Jahre alt.
2 Nein, sie hatte keine Probleme. Sie ist gern zur Schule gegangen.
3 Sie hatte gute Noten.
4 Sie kann noch nicht alles verstehen.

19b

Beispiel:
1 Wann ist sie in die Schule gekommen?
2 Hatte sie Probleme in der Schule?
3 Kann Deepah schon Deutsch sprechen?
4 Kann sie alles verstehen.

20a

1 Im Verein arbeiten Rentner, Rentnerinnen, pensionierte Lehrer und Lehrerinnen, Eltern und viele andere mehr.
2 Sie wollen mit den Schülern Lesen, Schreiben und Rechnen üben.

20b

1 B – 2 A

Wichtige Wörter

1a

Beispiel:

arbeiten	Ich arbeite viel. Ich habe gestern nicht gearbeitet.
spielen	Jan spielt Fußball. Er hat Fußball gespielt.
aufräumen	Ich räume mein Zimmer auf. Ich habe mein Zimmer aufgeräumt.
fahren	Wir fahren nach Berlin. Wir sind nach Berlin gefahren.
gehen	Wir gehen ins Kino. Wir sind ins Kino gegangen.
einkaufen	Kaufst du ein? Hast du eingekauft?
träumen	Ich träume nicht gut. Ich habe nicht gut geträumt.
kochen	Tom kocht eine Suppe. Tom hat eine Suppe gekocht.
machen	Wir machen die Hausaufgaben. Wir haben die Hausaufgaben gemacht.
reden	Du redest sehr viel. Du hast sehr viel geredet.
abholen	Ludmilla holt die Kinder ab. Ludmilla hat die Kinder abgeholt.
hören	Wir hören Musik. Wir haben Musik gehört.
lernen	Wir lernen Deutsch. Wir haben Deutsch gelernt.
aufstehen	Ich stehe nicht gern früh auf. Ich bin gestern früh aufgestanden.
trinken	Wir trinken einen Kaffee. Wir haben einen Kaffee getrunken.
essen	Wir essen eine Pizza. Wir haben eine Pizza gegessen.
schlafen	Ich schlafe sehr gut. Ich habe sehr gut geschlafen.
bleiben	Bleibst du lange? Bist du lange geblieben?
sehen	Wir sehen einen Film. Wir haben einen Film gesehen.
lesen	Wir lesen ein Buch. Wir haben ein Buch gelesen.

2a

Deutsch lernen – Radio hören – Karten spielen – mit Freunden leben, reden, lernen – am Computer arbeiten, spielen, lernen – Sport machen – in der Stadt leben, arbeiten – einen Kaffee trinken

2b

1 das Taxiunternehmen – 2 der Autoschlüssel – 3 der Führerschein – 4 die Postkarte

4a

1 in Berlin ankommen
2 in einem Hotel wohnen
3 eine Stadtrundfahrt machen
4 zum Alexanderplatz fahren
5 die Museumsinsel sehen
6 das Brandenburger Tor sehen
7 den Reichstag sehen
8 einen Kaffee trinken
9 in ein Konzert gehen
10 auf dem Balkon frühstücken
11 einen Ausflug nach Potsdam machen
12 in einem Restaurant essen

11 Ämter und Behörden

1a

von links nach rechts:

3 – 5 – 1 – 2 – 4

1 die Bundesagentur für Arbeit
2 die Familienkasse
3 die Kfz-Zulassungsstelle
4 das Ausländeramt
5 das Standesamt

1b

Beispiel:

2 Bei der Familienkasse kann man Kindergeld beantragen.
3 Bei der Bundesagentur für Arbeit kann man eine Berufsberatung bekommen.
4 Beim Standesamt kann man heiraten.
5 Bei der Kfz-Zulassungsstelle kann man ein Auto anmelden und abmelden.

2

1 Kindergeld beantragen, bekommen
2 eine Berufsberatung beantragen, bekommen
3 ein Auto anmelden, abmelden, bekommen
4 einen Termin beantragen, bekommen

3a

Anmeldebestätigung

Neue Wohnung		Alte Wohnung	
Tag des Einzugs	Straße, Hausnummer	Straße, Hausnummer	Gemeinde
Dr. Samuel Gaus	*Josefstraße 21*	*Schulstraße 17*	*21682 Stade*

Gemeinde *29.07.86* — Vermieter *01.11.14*
Die Wohnung ist: Hauptwohnung X Nebenwohnung

Die Anmeldung bezieht sich auf folgende Person:
Familienname *Boumard* — Vorname *Paris, Frankreich* — Geburtsdatum *53111 Bonn* — männl. — weibl. X
Geburtsort *Mireille* — Familienstand *französisch* — Staatsangehörigkeit *ledig* — berufstätig Ja X Nein

3b

Anmeldebestätigung

Neue Wohnung		Alte Wohnung	
Tag des Einzugs	Straße, Hausnummer	Straße, Hausnummer	Gemeinde
01.11.14	*Josefstraße 21*	*Schulstraße 17*	*21682 Stade*

Gemeinde *53111 Bonn* — Vermieter *Dr. Samuel Gaus*
Die Wohnung ist: Hauptwohnung X Nebenwohnung

Die Anmeldung bezieht sich auf folgende Person:
Familienname *Boumard* — Vorname *Mireille* — Geburtsdatum *29.07.86* — männl. — weibl. X
Geburtsort *Paris, Frankreich* — Familienstand *ledig* — Staatsangehörigkeit *französisch* — berufstätig Ja X Nein

4

2 am 3.2. – **3** am 4.3. – **4** am 5.4. – **5** am 9.5. –
6 am 10.6. – **7** am 11.7. – **8** am 12.8. – **9** am 20.9. –
10 am 21.10. – **11** am 29.11. – **12** am 30.12.

5

1 1975 – **2** 1991 – **3** 2004 – **4** 2015 –
5 zweitausendneunzehn – **6** achtzehnhundert-
dreiundsiebzig – **7** zweitausendelf –
8 neunzehnhundertsechsundachtzig

6

2 3.6.1979 – **3** 18.4.2012 – **4** 14.12.2005 –
5 31.1.2007 – **6** 11.4.1997 – **7** 1.2.2010

7

8

1 F – **2** R – **3** F – **4** F

9a

mir – dir – uns – euch – Ihnen

9b

1 mir – **2** Ihnen – **3** euch – **4** dir – **5** uns –
6 uns, Ihnen – **7** dir, mir – **8** euch, uns

10

A 2 – **B** 3 – **C** 4 – **D** 1

1 dir
2 Ihnen, dir
3 Ihnen, Ihnen
4 euch, uns

12

- Darf ich Sie etwas fragen?
- Ja, natürlich.
- Ich möchte hier an der Volkshochschule einen Deutschkurs machen.
- Gerne. Es gibt noch viele freie Plätze.
- Super. Aber ich habe eine Frage. Ich verstehe das Wort Kursgebühr nicht.
- Die Kursgebühr ist das Geld für den Kurs.
- Ach so, vielen Dank.

13

1 B – **2** C – **3** A – **4** A

14

1 die, einen – **2** den, eine – **3** das, den – **4** den, ein

Lösungen

15a

2 – 1 – 4 – 3

Beispiel:

Hochzeit: Für die Hochzeit brauche ich Ringe.

Fest: Für ein Fest brauche ich Getränke.

Arztbesuch: Für den Arztbesuch brauche ich die Gesundheitskarte.

Einkauf: Für den Einkauf brauche ich einen Einkaufszettel.

15b

Beispiel:

Für den Balkon brauche ich Blumen.

Für das Wohnzimmer brauche ich ein Sofa.

Für das Schlafzimmer brauche ich ein Bett.

Für die Küche brauche ich einen Herd.

16

1 Sie – **2** dich, mich – **3** sie – **4** mich, Sie

17a

Vorname: Anna – **Familienname:** Weigel – **Straße:** Schlossstraße 5 – **Wohnort:** Dresden – **Familienstand:** verheiratet – **Staatsangehörigkeit:** deutsch

17b

Heute geht Herr Darbo zum Ausländeramt. Er möchte sein Visum verlängern. Er hat einen Termin um 11 Uhr im 1. Stock in Zimmer 134.

18

2	Stockwerk:	1. Stock
	Zimmer:	102–103
	Zeit:	Freitag 8–12.30 Uhr
3	Stockwerk:	Erdgeschoss
	Zimmer:	06
	Zeit:	Mittwoch 8–12.00 Uhr
4	Stockwerk:	2. Stock
	Zimmer:	207
	Zeit:	Donnerstag 16.30–19 Uhr

Wichtige Wörter

1

1 stellen – **2** beantragen – **3** anmelden – **4** ausfüllen – **5** verlängern

2

Anmeldebestätigung

Familienname		Vorname	
Hadimitriou		Georgios	

Straße und Hausnummer	PLZ	Gemeinde
Parkstr. 7	99096	Erfurt

Geburtsdatum	Geburtsort	Staatsangehörigkeit
23.7.1986	Athen	griechisch

Familienstand	berufstätig	männl.	weibl.
verheiratet	Ja X Nein	X	

4

A 3 – **B** 4 – **C** 6 – **D** 8 – **E** 9 – **F** 1 – **G** 7 – **H** 5 – **I** 2

Station 3

A

linke Spalte: das Auge, der Mund, der Fuß, das Bein

rechte Spalte: der Kopf, die Hand

B

Name – Termin – kann – geht – Dank – Wiedersehen

C

gut – tut weh – Kopfschmerzen

D

komme – geradeaus – Kreuzung – links

E

war – bin – wohne/bin – bin/wohne – habe ... gesprochen – habe ... gemacht

F

habe – gekauft – haben – gesehen – sind – gefahren

H

Entschuldigung – helfen – verstehe – Verkäufer – danke

12 Im Kaufhaus

1
Foto 1: die Krawatte, -n, die Hose, -n
Foto 2: die Jacke, -n, der Rock, "-e
Foto 3: der Pullover -, die Jeans, -

2a
1 gefällt – **2** gefallen – **3** gefällt – **4** gefällt

3
1 dir, mir – **2** Ihnen, Ihnen – **3** mir, Ihnen

4a
- Guten Tag, kann ich Ihnen helfen?
- Ja, ich suche eine Hose.
  Haben Sie Hosen für Jungen?
- Wie alt ist der Junge?
- Elf Jahre.
- Hosen für Jungen sind hier.
  Wie gefällt Ihnen die grüne Hose?
- Mein Sohn mag Grün nicht.
- Dann vielleicht die graue Hose hier?
- Ja, die ist gut. Die nehme ich.

4b
Guten Tag, kann ich Ihnen helfen?
Ja, gern. Ich suche einen Rock.
Röcke haben wir hier. Wie finden Sie den roten Rock?
Der ist nicht schlecht, den nehme ich. Haben Sie auch Socken?
Ja, hier. Die schwarzen Socken sind im Angebot.
Dann nehme ich die schwarzen Socken und den roten Rock.

5
- Können Sie mir helfen?
- Ja, gern. Was brauchen Sie?
- Ich suche einen Pullover und einen Rock.
- Pullover sind hier. Wie finden Sie den roten Pullover?
- Super, der gefällt mir gut, den nehme ich. Und kann ich den schwarzen Rock anprobieren?
- Ja, natürlich. Hier ist die Umkleidekabine.
- Ja, der Rock ist gut. Den nehme ich auch.

6
1 Der blaue, den blauen
2 Das weiße, das weiße
3 Die lange, die lange
4 Die schwarz-weißen, die schwarz-weißen

7
1 schwarze – schwarze – weiße – schwarze – weiße – weiße
2 kleine – kleine

3 braunen – kleine – rote – kleinen
4 weißen – roten

8
1 roten, bequem
2 schön, schwarze, blaue

9a
Rolf Schubeck: im Internet
Karin Tönges: im Kaufhaus
Denise Berger: auf dem Flohmarkt, im Kaufhaus

9b
1 F – **2** R – **3** F – **4** F – **5** R – **6** F

10
1 Welcher – **2** Welchen – **3** Welches –
4 Welche – **5** Welche

11
1 Welchen Pullover nehmen Sie?
2 Welcher Pullover gefällt Ihnen?
3 Welches T-Shirt ist super?
4 Welche Schuhe sind teuer?
5 Welche Brille ist schick?

13
1 die Dame + der Mantel = der Damenmantel
2 das Leder + die Tasche = die Ledertasche
3 das Baby + die Hose = die Babyhose

14
2 der Herr, die Herren + der Mantel, die Mäntel
3 das Haus, die Häuser + die Nummer, die Nummern
4 das Handy, die Handys + die Nummer, die Nummern
5 die Familie, die Familien + der Name, die Namen
6 das Kind, die Kinder + der Arzt, die Ärzte
7 der Ausländer, die Ausländer + das Amt, die Ämter
8 der Kurs, die Kurse + die Gebühr, die Gebühren

15
1 A – **2** B – **3** A – **4** C

Lösungen

16

- Kann ich Ihnen helfen?
- Ja, haben Sie diese Bluse auch in Schwarz?
- Nein, tut mir leid, nur in Blau. Möchten Sie die blaue Bluse anprobieren?
- Okay. Die Bluse ist aber zu groß. Haben Sie die auch in 42?
- Ja, hier ist die Bluse in Größe 42.
- Danke. Ich gehe noch einmal in die Umkleidekabine.
- Und, gefällt sie Ihnen?
- Ja, die Bluse in 42 ist gut, die nehme ich. Wo ist die Kasse?
- Die Kasse ist im Erdgeschoss.

17

Beispiel:

2 Entschuldigung, wo finde ich die Umkleidekabinen?
Die Umkleidekabinen sind da vorne rechts.

3 Entschuldigung, haben Sie die Jeans auch in Größe 40?
Nein, tut mir leid, nur noch in Größe 42.

4 Entschuldigung, wie lange haben Sie geöffnet?
Montag bis Freitag bis 19 Uhr und am Samstag bis 18 Uhr.

18a

1 neun (Euro) fünfzig
2 vierundvierzig (Euro) neunzig
3 neunzehn (Euro) neunundneunzig

18b

1 A – **2** B

19

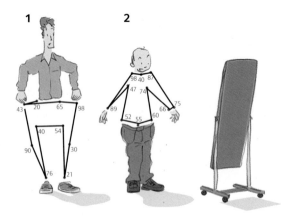

20a

Wintermantel – Deutschkurs – Kaufhaus – Stadtmitte – Damenabteilung – Winterschlussverkauf – Winterhose – Computerspiel

20b

Am Wochenende muss ich einkaufen. Ich brauche einen Wintermantel und Winterschuhe. Meine Frau kommt vielleicht auch mit und hilft mir. Sie geht gerne einkaufen. Sie kauft gerne Schuhe, Taschen und Modeschmuck.

21a

T-Shirt (blau) / Hose (schwarz)

21b

21c

1 am 13.05.2015
2 50,40 €
3 4,50 €

Wichtige Wörter

2a

1 C – **2** E – **3** F – **4** B – **5** G – **6** D – **7** A

5

1 die Hose, die Hosen – **2** die Jeans, die Jeans – **3** das Hemd, die Hemden – **4** der Pullover, die Pullover – **6** der Schuh, die Schuhe – **9** das T-Shirt, die T-Shirts – **10** das Sweatshirt, die Sweatshirts – **11** der Anzug, die Anzüge – **15** die Socke, die Socken – **17** die Krawatte, die Krawatten – **18** das Kleid, die Kleider – **19** der Rock, die Röcke – **20** die Bluse, die Blusen – **21** die Unterwäsche/das Unterhemd, die Unterhemden – **22** die Jacke, die Jacken/der Pullover, die Pullover – **25** der Mantel, die Mäntel – **32** die Babyhose, die Babyhosen

13 Auf Reisen

1a
von oben nach unten/von links nach rechts:
der Strand, "-e – der Wald, "-er – das Dorf, "-er –
der Fluss, "-e – der Berg, -e – die Wiese, -n – der
See, -n

2a
1 in den Bergen – **2** im Dorf – **3** auf dem
Bauernhof – **4** im Wald – **5** am See – **6** am Strand –
7 am Meer – **8** in der Stadt – **9** im Park

2b
am – am – auf dem – in den – in der – im

4
- Guten Tag, ich brauche eine Fahrkarte von
  Hannover nach Emden.
- Erste oder zweite Klasse?
- Wie viel kostet eine Fahrkarte für die erste
  Klasse?
- 80 Euro.
- Oh, das ist teuer. Dann nehme ich eine Fahrkarte
  für die zweite Klasse.
- Mit Reservierung?
- Ja, bitte für den Zug um 8.45 Uhr.
- Eine Fahrkarte von Hannover nach Emden mit
  Reservierung. Das macht 49 Euro.

5
1 B – **2** C

7a
1 Wohin sind Sie zuletzt mit dem Zug gefahren?
2 Wie lange sind Sie dort geblieben?
3 Sind Sie umgestiegen?
4 Wie lange hat die Fahrt gedauert?
5 Sind Sie auch durch Tunnel gefahren?

8
3 – 4 – 1 – 2
1 um – **2** durch – **3** durch – **4** um

9
1 Die Katze läuft um den Baum.
2 Sie springt durch das Fenster.
3 Sie läuft durch die Küche.
4 Sie läuft um den Tisch.

10

links:	Es ist heiß. – Die Sonne scheint. – Es ist sonnig.
in der Mitte:	Es ist nass. – Es regnet. – Es ist bewölkt. – Es ist windig.
rechts:	Es schneit. – Es ist kalt. – Es ist bewölkt.

11
1 Heute ist es warm.
2 Gestern war es bewölkt.
3 In der Nacht hat es geschneit.
4 Vielleicht regnet es morgen.
5 Es ist kalt und windig.
6 Gestern hat es auch geregnet.

12
Beispiel:
Heute ist das Wetter schlecht, es ist nass, es regnet,
es ist kalt, es ist windig.
Gestern war es schön, es hat nicht geregnet, es
war sonnig und warm. Es waren keine Wolken am
Himmel.

13a
NO   Nordosten / im Nordosten
O   Osten / im Osten
SO   Südosten / im Südosten
S   Süden / im Süden
SW   Südwesten / im Südwesten
W   Westen – im Westen

13b
2 Frankfurt an der Oder liegt im Osten.
3 Konstanz liegt im Süden.
4 Aachen liegt im Westen.
5 Kiel liegt im Norden.

13c
Im Osten / In Frankfurt an der Oder ist es bewölkt.
Im Süden / In Konstanz scheint die Sonne.
Im Westen / In Aachen ist es sonnig und bewölkt.
In der Mitte / In Erfurt ist es bewölkt.

14a
1 Stuttgart ist genauso groß wie Düsseldorf.
2 Berlin ist größer als Bonn.
3 In Berlin gibt es weniger Regen als in Bonn.
4 Sie möchte genauso gerne nach Stuttgart wie
  nach Düsseldorf.

14b
2 warm, wärmer – **3** kurz, kürzer – **4** lang, länger –
5 hell, heller – **6** schwierig, schwieriger – **7** groß,
größer – **8** klein, kleiner – **9** interessant, interessan-
ter – **10** gut, besser – **11** viel, mehr – **12** gern, lieber

Lösungen

15

1 China ist größer als Deutschland.
2 Die Sonne ist heller als der Mond.
3 Schnee ist kälter als Regen.
4 In Passau ist es wärmer als in Erfurt.
5 Ich esse genauso gern Reis wie Nudeln.

16a

Januar – Februar – März – April – Mai – Juni –
Juli – August – September – Oktober – November –
Dezember

16b

1 März
2 April – Juni
3 Juli – August – September

17

1 heiß – scheint – Regen – kalt – lang – hell –
sitzen
2 kalt – schneit – dunkel – Schnee – regnet

18

1 Im Juni sind die Tage länger als im Januar.
2 Im Winter sind die Tage kürzer als im Sommer.
3 Im Juli sind die Abende heller als im Dezember.
4 Im Sommer scheint die Sonne mehr als im Winter.

19a

1 besuchen – **2** besichtigen – **3** machen –
4 übernachten – **5** gehen – **6** treffen

20a

1 der wunderschöne Urlaub – **2** der hohe Berg –
3 die interessante Großstadt – **4** durch den langen
Tunnel fahren – **5** um den schönen See wandern –
6 die warme Sonne – **7** das nasskalte Wetter –
8 die preiswerte Übernachtung

20b

Der Urlaub war wunderschön und das Wetter war
fantastisch. Zuerst sind wir mit dem Zug nach München gefahren. Die Fahrt war interessant. In Prien am
Chiemsee haben wir dann das preiswerte Hotel Seeblick gefunden. Die Zimmer waren gemütlich, aber
sehr klein. Am nächsten Tag haben wir eine Wandertour um den wunderschönen See gemacht und sind
auf einen Berg gestiegen. Oben war es windig und wir
haben den warmen Pullover und die lange Jacke angezogen. Leider ist der Urlaub schon zu Ende, wir
sind wieder zu Hause und hier ist das Wetter nasskalt
und windig.

21

1c – **2**d – **3**a – **4**b

Wichtige Wörter

1

Beispiel:
das Dorf, die Kirche, der Bahnhof, der Zug,
der Berg, der See, die Bäume, die Straße, die Katze,
die Fahrräder, die Sonne

2

1 ankommen – **2** die Abfahrt – **3** sonnig – **4** heiß –
5 preiswert – **6** ungefähr

4

2 der Sommer – **3** der Herbst – **4** der Winter –
6 die Wolke, die Wolken. Es ist bewölkt. –
7 der Schnee. Es schneit. – **8** der Regen. Es regnet. –
13 der Wind. Es ist windig. – **16** Es ist kalt.

7a

Beispiel:
Im Frühling und im Sommer kann man gut Fahrrad
fahren.
Im Winter bleibt man lieber zu Hause. Die Straßen
sind oft glatt.
Im Herbst gibt es viele Gewitter. Es ist oft neblig.
Im Winter kann man gut Ski fahren.
Im Frühling, Sommer und Herbst kann man eine
Kanutour machen.
Man kann immer gut spazieren gehen: im Frühling,
Sommer, Herbst und Winter.
Im Sommer kann man gut schwimmen gehen.
Im Sommer isst man gerne ein Eis.

14 Zusammen leben

1a
1 die Hausnummer – **2** der Kinderwagen –
3 die Treppe – **4** die Mülltonne – **5** der Hund –
6 die Klingel

1b
Ich wohne in einem Mietshaus. Meine Wohnung ist im zweiten Stock links. Neben mir wohnt eine Familie aus Kuba. Sie heißt Garcia. Im Erdgeschoss links ist ein Friseur und rechts ist eine Bäckerei. Im ersten Stock sind Büros. Links ist die Immobilienfirma Heinz und rechts ist das Büro von der Firma ArtDesign.

2a

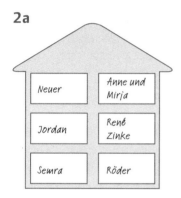

2b
1 Familie Jordan hat zwei Kinder.
2 Herr Zinke findet Frau Jordan sehr nett.
3 Herr Zinke kennt die Familie Neuer nicht gut.
4 Herr Röder wohnt im Erdgeschoss rechts.

3a
2 Vor dem Haus sind Autos / ist ein Straße.
3 Links neben dem Haus ist ein Supermarkt.
4 Rechts neben dem Haus ist ein Spielplatz.
5 Unter dem Balkon ist eine Tür/Haustür.
6 Auf dem Balkon sind Menschen/Leute/Personen.

3b
Vor dem – Auf der – Neben dem – Auf dem – Im – Im – Im – über – Im – unter

4
Beispiel:
Kennen Sie Ihre Nachbarn?
Wie hoch ist die Miete?
Haben Sie einen Aufzug?
Hat Ihre Wohnung einen Balkon?

6
● Entschuldigung, ich möchte nicht stören. Aber ich habe eine Bitte.
● Sie stören überhaupt nicht.
● Wir haben gerade Besuch. Wir trinken Kaffee und haben keine Milch. Können Sie mir vielleicht ein bisschen Milch geben?
● Aber gern. Einen Moment bitte.
● Vielen Dank!
● Gern geschehen.

7
1 D – **2** B – **3** A – **4** C

8
2 Entschuldigung, können Sie mir bitte Salz geben?
3 Entschuldigung, kannst du/können Sie bitte die Tür aufmachen?
4 Entschuldigung, können Sie mir bitte mit dem Kinderwagen helfen?

9a
1 D, E – **2** B I – **3** C F – **4** H – **5** G – **6** A – **7** G

9b
Beispiel:
Wann findet das Fest statt? – Am Samstag, dem 1. August.
Wo findet das Fest statt? – In der Klausenerstraße 8, im Hof.
Wie lange dauert das Fest? – Es dauert von 10 bis 22 Uhr.
Was gibt es auf dem Fest? – Man kann Musik hören, Spiele spielen, grillen und tanzen.
Wer kommt zum Fest? – Alle Nachbarn aus dem Haus.

10a
1 D – **2** B – **3** A – **4** C – **5** F – **6** E

11a
Frau Vukovic: 1, 3
Herr Heinlein: 2, 4

11b
1 Die Heizung war letztes Jahr, im Winter, an einem Samstagvormittag kaputt.
2 Spät am Abend hat die Heizung wieder funktioniert.
3 Der Hausmeister hat die Lampe repariert.
4 Herr Heinlein hat die Hausverwaltung angerufen.
5 Die Mieter haben das Treppenhaus aufgeräumt.

12

A 3 – **B** 1 – **C** 5 – **D** 2 – **E** 4

A gehe – **B** geht – **C** geht – **D** geht – **E** geht

13a

von oben nach unten

links: 7 – 5 – 2 – 4 – 3 – 8

rechts: 1 – 6

13b

Martina Schneider

Rheinstraße 3

65428 Rüsselsheim

Rüsselsheim, den 20. April 2015

Hausverwaltung Wichtig

Wilhelmstraße 53

65183 Wiesbaden

Heizung in der Rheinstraße

Sehr geehrter Herr Berger,

wir haben ein Problem: Die Heizung funktioniert nicht gut. Die Wohnungen im Dachgeschoss sind kalt und sie bekommen morgens oft kein warmes Wasser. Bitte bestellen Sie eine Heizungsfirma.

Mit freundlichen Grüßen

Martina Schneider

14

1 Heute kann er nicht kommen, aber morgen kommt er gern.

2 Er arbeitet am Samstag und am Sonntag hat er frei.

3 Im Sommer fährt er nach Italien oder er bleibt zu Hause.

4 Er fährt gerne mit dem Fahrrad, denn er will gesund bleiben.

15

1 Ich habe keine Zeit, denn ich muss das Treppenhaus aufräumen.

2 Wir wollen unsere Fahrräder abstellen, aber es gibt keinen Platz im Fahrradraum.

3 Wir schreiben einen Brief an die Hausverwaltung, denn der Hof ist immer schmutzig.

4 Bald gibt es kein Problem mehr mit dem Müll, denn der Vermieter hat neue Mülltonnen bestellt.

16

ist … mitgekommen – haben … gespielt – haben … getrunken – hat … gekauft – haben … gegessen – sind … gefahren

17

Andreas Simonsen
Stresemannstraße 25
36041 Fulda

1
Fulda, den April 25. 2015

Hausverwaltung Schröder
Frau Anne Schmitz
Vogelsberger Straße 121
36041 Fulda

Licht im Treppenhaus in der Stresemannallee

2   **3**
Liebe Frau Anne,

im Haus in der Stresemannstraße 25 ist das Licht im Treppenhaus kaputt. Manchmal geht es, manchmal geht es nicht. Das ist gefähr-

4
lich, denn im Treppenhaus ist es dunkel. Bitte bestell einen

Elektriker.

5
Mit freundlich Grüßen
6
Andreas

1 Man schreibt zuerst den Tag, dann den Monat und dann das Jahr: Fulda, (den) 25. April 2015 oder Fulda, (den) 25.4.2015

2 und 3 Liebe/Lieber schreibt man nicht im offiziellen Brief. Hier muss es heißen: Sehr geehrte Frau + Nachname > Sehr geehrte Frau Schmitz,

4 Im formellen Brief darf man nicht die Du-Form verwenden, man verwendet die formelle Form: Bitte bestellen Sie …

5 Der Gruß hat die Endung –en: Mit freundlichen Grüßen

6 Hier fehlt der Nachname.

18a

A 2 – **B** 1 – **C** 3

18b

Beispiel:

1 Das internationale Straßenfest hat eine lange Tradition/gibt es schon lange.

2 Beim ersten Straßenfest haben Menschen aus vielen Nationalitäten mitgemacht.

3 Heute dauert das Straßenfest drei Tage.

19

1 Schaffhauser Platz, 15 Uhr.
2 Schaffhauser Platz, 15.20 Uhr /
Lange Straße, 17 Uhr
3 Lange Straße, 15 Uhr

Wichtige Wörter

2

1 tanzen – **2** machen – **3** einladen – **4** schmecken

3

2 Absender – **3** Empfänger – **4** Datum – **5** Ort

5a

1 die Tür, die Türen – **3** die Hausnummer, die Haus-
nummern – **4** der Balkon, die Balkone/Balkons –
6 der Garten, die Gärten – **7** die Klingel, die Klingeln
– **8** der Briefkasten, die Briefkästen – **9** das Fenster,
die Fenster – **13** die Treppe, die Treppen – **14** das
Treppenhaus, die Treppenhäuser – **15** der Aufzug,
die Aufzüge – **18** die Mülltonne, die Mülltonnen –
20 die Heizung, die Heizungen – **21** die Terrasse,
die Terrassen – **23** der Keller, die Keller

Station 4

A

gefällt – finde – gefällt – finden – gefallen – schön

B

suche – Größe – Wie – anprobieren –
Umkleidekabinen – bezahlen – Kasse

C

Beispiel:
1 Es regnet. – Es ist nass. – Es ist windig. –
Es ist bewölkt.
2 Es schneit. – Die Sonne scheint. – Es ist sonnig. –
Es ist kalt.

D

hätte – von – nach – Zug – direkt – umsteigen –
kommen … an

E

1 Bonn ist größer als Lübeck.
2 In Berlin ist es heute genauso kalt wie in
München.

F

Beispiel:
● Herr Schröder, die Heizung funktioniert schon
wieder nicht. Können Sie sie reparieren?
● Ja, ich komme sofort.

G

Entschuldigung – Bitte – Können – Vielen – Gern